EX CULTU ROBUR

Scholae Cranleiensis

Joseph Conrad

Heart of darkness
Au cœur des ténèbres

*Traduit de l'anglais
et annoté par
Jean Deurbergue*

*Préface de
Michelle-Irène Brudny*

Gallimard

PRÉFACE

Comme je descendais des Fleuves impassibles,
Je ne me sentis plus guidé par les haleurs [...]
...
Et j'ai vu quelquefois ce que l'homme a cru voir.

A. RIMBAUD

Ils étaient irrésistiblement attirés par un monde
où tout était dérision, un monde capable de leur
enseigner la « Grande Farce », à savoir « la maî-
trise du désespoir ».

H. ARENDT

« Heart of Darkness » entre dans la composition de l'ouvrage intitulé Youth, a Narrative and Two Other Stories *– désormais, en français,* Jeunesse et autres récits –, *publié en 1902, après avoir paru, en trois livraisons, pour le numéro mille du* Magazine [1]. *À l'instar de Flaubert, Conrad avait souhaité grouper trois « contes ». C'est « Jim » sous forme de nouvelle qui, au début, constituait le troisième, remplacé ensuite par « Au*

---

1. Il s'agit du *Blackwood's Magazine*, aussi appelé *the Maga*, créé à l'origine pour faire pièce à la plutôt whig *Edinburg Review* mais devenu par la suite un périodique littéraire tout à fait classique.

bout du rouleau ». S. Monod a souligné une sorte de rupture ou tout au moins un contraste avec la nature des ouvrages précédents de l'auteur qui sont « de vrais romans et un authentique recueil [...] de nouvelles[1] », sans qu'il y ait matière, au demeurant, à hypothèses interprétatives sur le sens ou la portée de cette évolution.

De même, les éléments autobiographiques pourtant indiscutables de « Au cœur des ténèbres » ne sont à rappeler que par scrupule informatif. En effet, Conrad avait eu l'occasion d'effectuer une expédition au Congo à bord du Roi des Belges. *Et si les carnets qui forment le* Congo Diary[2] *nous apprennent que l'aventure s'est mal passée et mal terminée et que l'auteur en a rapporté des* « souvenirs horrifiés[3] », *il s'agit seulement, ici comme ailleurs, d'un point de départ de la création conradienne.*

Récit, nouvelle, roman ou conte ? Les récits de Conrad – « Jeunesse » ou « Au cœur des ténèbres » figurent parmi les plus achevés – correspondraient assez à la fameuse définition de la nouvelle selon Poe. Mais il n'est pas assuré, malgré son caractère envoûtant et comme inexorable, que « Au cœur des ténèbres » soit réellement assez court pour se lire sans interruption, même si l'unité d'effet paraît incontestable. Nous ne tenons naturellement pas compte de la division, inessentielle, en trois chapitres qui est seulement la conséquence de la première parution en livraisons. Ce type de texte aux confins de la longue nouvelle et du roman court ne répond évidemment à rien

---

1. Cf. l'« Introduction » à J. Conrad, *Œuvres*, t. II, Paris, Gallimard, 1985 (Bibliothèque de la Pléiade), p. IX.
2. Celui-ci est notamment reproduit dans *Heart of Darkness*, R. Kimbrough (*ed.*), New York, Norton, 1963.
3. Cf. la « Notice » de J. Deurbergue dans J. Conrad, *Œuvres*, t. II, *op. cit.*, p. 1266.

d'autre qu'à une nécessité interne. En effet, selon le cas de figure, Conrad affirme, dans une lettre de 1902 à David S. Meldrum, conseiller littéraire de son éditeur Blackwood : « La forme que je préfère est celle qui exige trente mille mots pour se développer », et dans une autre, antérieure, « Je me laisse un peu aller », manière d'understatement *indiquant que, en cours d'écriture, « Au cœur des ténèbres » prend une ampleur tout à fait imprévue. Le simple rapprochement de la préférence affirmée et de la confidence d'écriture suffit à confirmer, s'il en était besoin, que Conrad en use avec une grande liberté et qu'il a brouillé des frontières ou des distinctions bien établies, tout en tirant son profit des contraintes qu'elles lui imposaient néanmoins.*

J.-J. Mayoux, dans son importante introduction au recueil qu'il a composé avec « Au cœur des ténèbres », « Amy Foster » et « Le compagnon secret », affirme qu'il s'agit d'un conte en un sens qui s'opposerait à « transcription en récit d'une réalité[1] ». En fait, ce n'est pas le choix d'une terminologie qui importe ici, mais plutôt l'émergence et le rôle du narrateur.

Dans Le Nègre du « Narcisse », *Conrad avait dû placer un narrateur afin de rendre compte de ce qui se passait en deux lieux différents.*

J. Deurbergue considère que c'est vraisemblablement une réflexion sur cette technique qui a dû « mener [l'auteur] à l'invention de Marlow, non sans recevoir des suggestions de sources multiples (dont, probablement, la tradition polonaise du gawçdà […][2] », récit qui abonde

    1. Paris, Aubier, 1980 (édition, introduction et traduction de J.-J. Mayoux), p. 37.
    2. Cf. J. Conrad, *Œuvres*, t. II, *op. cit.*, p. 1259.

en digressions de tous ordres et cherche à reproduire la liberté de la tradition orale). Quant à Conrad, il se dérobe avec son humour coutumier lorsqu'il s'agit de s'expliquer sur les origines du « gentleman » qu'est Marlow : « On pourrait penser que je suis la personne toute désignée pour éclaircir la question, mais en vérité je trouve que ce n'est pas tellement facile. [...] il a été l'objet de toutes sortes de suppositions : on a vu en lui un écran habile, un simple procédé, un "masque", un esprit familier, un démon chuchotant. J'ai moi-même été soupçonné d'avoir prémédité sa capture[1]. »

Mais, comme le note J. Deurbergue : « Le statut de Marlow appelait nécessairement un relais : au récit principal qui lui est confié, un premier narrateur fournit une introduction et une conclusion[2] », il se livre aussi à quelques rares interventions. Le dispositif était déjà présent dans « Jeunesse » mais se trouve plus développé dans « Au cœur des ténèbres ». En outre, ce premier narrateur reprend, d'entrée de jeu, une formulation de celui de « Jeunesse », pour sceller, en quelque sorte, le dispositif : « Il y avait entre nous, comme je l'ai déjà dit quelque part, le lien de la mer[3]. » Le récit de Marlow commence seulement après que le fleuve, encore urbain, est entièrement plongé dans l'ombre, et celui du premier narrateur s'achève, en fin de texte, sur cette notation, toujours à propos du fleuve : « [...] la tranquille voie d'eau [...] paraissait mener jusqu'au cœur d'immenses ténèbres[4] ».

---

1. *Ibid.*, p. 3-4.
2. *Ibid.*, p. 1260.
3. Cf., *infra*, p. 23.
4. *Ibid.*, p. 333.

La parution en volume de « Au cœur des ténèbres » avait été précédée par l'écho des publications dans le Magazine. Or, le cercle des adeptes conquis par La Folie Almayer quatre années auparavant ne s'élargit pas. La critique, pour de multiples raisons, préfère « Jeunesse » quand ce n'est pas « Au bout du rouleau ». Mais les attitudes à l'égard de « Au cœur des ténèbres » varient de la simple minoration à la dénégation en vraie grandeur. L'article du Manchester Guardian que cite N. Sherry dans son anthologie n'appelle pas de longs commentaires : « [...] il ne faut pas croire que M. Conrad se livre à une attaque contre la colonisation, l'expansion, voire contre l'impérialisme[1] ». Cette dénégation s'explique autant par ce que Conrad met au jour des ténèbres de l'inconscient que de l'hubris impérialiste.

La réception de l'ouvrage s'effectuera donc lentement, par phases successives. André Gide, pourtant responsable avec G. Jean-Aubry de la traduction des œuvres de Conrad, ne semble avoir réellement pris la mesure de ce récit déjà lu qu'à l'occasion de son propre voyage au Congo. Parmi les New Critics des années 40, certains s'intéressent à la technique narrative, d'autres s'attachent aux composantes morales du récit. Puis vient le symbolisme, suivi, notamment, de l'analyse textuelle, du formalisme et de la psychanalyse.

---

1. Cf. *Joseph Conrad : The Critical Heritage*, N. Sherry (*ed.*), Londres, 1973, p. 135.

La technique de Conrad, aux divers niveaux, consiste précisément à ne pas révéler le sens d'emblée. À peine Marlow profère-t-il la première phrase, assez brève, de son récit, aussitôt un alinéa entier du premier narrateur se trouve intercalé qui se clôt sur la célèbre définition du sens : « [...] Marlow n'était pas typique (si l'on excepte sa propension à débiter des histoires), et pour lui le sens d'un épisode n'était pas à l'intérieur comme les cerneaux, mais à l'extérieur, enveloppant seulement le récit qui l'amenait au jour comme un éclat voilé fait ressortir une brume, à la semblance de ces halos vaporeux que rend parfois visible l'illumination spectrale du clair de lune[1]. »

L'ombre s'est étendue sur la Tamise, tel le moment fatal qui fait redire au vieux marin de Coleridge sa terrible histoire (tale), et l'oxymore « illumination spectrale » concentre toute l'antithèse fondatrice, matricielle, du récit entre lumière et ténèbres, monnayée à tous les niveaux du texte, comme pour faire pièce à la « tâche impossible » du narrateur. « Voyez-vous l'histoire ? Voyez-vous quelque chose ? Je me fais l'effet d'essayer de vous raconter un rêve – vaine entreprise, car aucun récit de rêve ne peut communiquer la sensation du rêve, cette mixture d'absurdité, de surprise et d'ahurissement, [...] cette impression d'être prisonnier de l'invraisemblable qui est l'essence même du rêve[2]... »

L'apprentissage géographique de Marlow, sa progression initiatique vers la maturité se trouvent placés, comme le texte, sous le signe de l'opposition clarté/obscurité : « Il [l'espace] avait cessé d'être un espace vierge au

1. Cf., *infra*, p. 31-33.
2. *Ibid.*, p. 123-125.

délicieux mystère – une tache blanche sur laquelle un petit garçon pouvait bâtir de lumineux rêves de gloire. C'était devenu un lieu de ténèbres[1]. » Un « fleuve énorme », en particulier, *l'avait fasciné, celui dont il allait raconter la remontée.*

L'immeuble où est située la Compagnie qui engage Marlow est « *aussi silencieux qu'une maison de la cité des morts* » et, si un doute subsistait, les portes de cet Hadès revisité par le XIXe siècle sont gardées par deux sombres tricoteuses[2]. Un peu plus tard, au moment de se séparer d'une parente avant le véritable départ, il tente d'expliquer : « *pendant une ou deux secondes j'eus l'impression [...] de me mettre en route pour le centre de la terre[3]* ». Quant au voyage à la rencontre de ce Kurtz dont Francis Ford Coppola et Marlon Brando devaient donner, dans la dernière partie d'Apocalypse Now, une transposition saisissante, il est résumé dans deux formulations à composante initiatique et aux lectures multiples : « *La remontée de ce fleuve, c'était comme une remontée aux premiers commencements du monde [...]*» et « *L'approche de ce Kurtz qui arrachait l'ivoire à la maudite brousse était entourée d'autant de périls que s'il avait été une princesse dormant d'un sommeil magique dans un château fabuleux[4]* ».

Cet aspect magique, mais aussi fantomatique, spectral, est sans cesse présent dans la narration : « *Les lignes droites s'ouvraient devant nous et se refermaient derrière, comme si la forêt avait enjambé l'eau sans se presser pour*

1. *Ibid.*, p. 43.
2. *Ibid.*, p. 57.
3. *Ibid.*, p. 63.
4. *Ibid.*, p. 151 et 191.

13

nous barrer le chemin du retour. Nous pénétrions de plus en plus profondément au cœur des ténèbres ». Ainsi est introduite une description longue, dense et extrêmement évocatrice que Hannah Arendt a retenue, pour son exhaustivité paradigmatique, dans L'Impérialisme, *la deuxième partie des* Origines du totalitarisme [1]. *Le vapeur progresse péniblement et, sur les rives toutes proches, des Noirs s'agitent :* « L'homme préhistorique nous adressait ses malédictions, ses prières, ses souhaits de bienvenue – qui pouvait le dire ? Nous étions totalement coupés de la compréhension de ce qui nous entourait ; nous passions doucement, tels des fantômes, perplexes et secrètement épouvantés, comme le seraient des gens sains d'esprit devant un débordement d'enthousiasme subit dans une maison de fous. Nous ne pouvions pas comprendre parce que nous étions trop loin et ne pouvions nous rappeler parce que nous parcourions la nuit des premiers âges, de ces âges qui ont disparu, ne laissant guère de signes – et aucun souvenir. » *De manière générale, pour H. Arendt, la compréhension est indispensable à l'orientation de l'être humain dans le monde. Et, dans le commentaire qu'elle procure de ce long passage, dont nous n'avons pu retenir qu'une partie, elle distingue, à partir de cette comparaison avec la rencontre de la démence, la folie individuelle des aventuriers européens, chasseurs d'ivoire, de celle de la* « mêlée pour l'Afrique ». *La phrase du texte qui clôt l'ensemble cité par H. Arendt est terrible :* « Eh bien, voyez-vous, c'était ça le pire – se douter qu'ils n'étaient pas inhumains. »

1. Cf. H. Arendt, *L'Impérialisme*, Paris, Fayard, 1982 ; rééd. Le Seuil, 1984 (coll. « Points Politique », n° 125 ; trad. M. Leiris), p. 120-121.

Les « dissonances barbares », les sonorités inhumaines s'articulent avec l'antithèse lumière/ténèbres : « [...] j'eus l'impression que le brouillard lui-même avait crié, tant ce vacarme tumultueux et funèbre avait été soudain et avait paru venir des deux côtés à la fois[1] ». Les Africains se manifestent comme formes – « je vis de vagues formes humaines qui couraient, pliées en deux, bondissaient, se coulaient, nettes, fragmentaires, évanescentes » –, mais plus encore peut-être par des sonorités et une plainte indéchiffrables : « [...] puis des profondeurs de la forêt monta une longue plainte frémissante de peur lugubre et de profond désespoir, telle qu'on imagine celle qui suivrait l'envol du dernier espoir de la terre[2] ».

Ce que H. Arendt a perçu, c'est l'attrait de ce monde pour les aventuriers, leur fascination, voire leur folie. En effet, après que Marlow s'est interrompu pour dire l'impossibilité de raconter, en particulier de raconter sa rencontre avec Kurtz qui « n'était guère plus qu'une voix[3] », il réussit néanmoins à exprimer les liens extrêmement profonds qui attachent Kurtz à ce monde : « Ce monde l'avait pris, aimé, enlevé, s'était insinué dans ses veines, avait consumé sa chair, et scellé son âme à la sienne propre par les cérémonies inimaginables de quelque initiation démoniaque. »

Mais si Kurtz a partie liée avec les ténèbres – « L'important était de savoir à qui il appartenait, lui, combien, parmi les puissances des ténèbres, prétendaient qu'il leur appartenait[4] » –, la relation est ambivalente,

---

1. Cf., *infra*, p. 177.
2. *Ibid.*, p. 203 et 207.
3. *Ibid.*, p. 213.
4. *Ibid.*, p. 217.

*au sens strict du terme. Cet homme qui affirmait pouvoir
« mettre en jeu un pouvoir pratiquement sans limites au
service du bien », ce même homme hurlait en conclusion
d'un discours altruiste la fameuse phrase « Exterminez
toutes ces brutes !* [1]. *» « Cet homme souffrait trop. Il détes-
tait tout cela, et cependant il ne pouvait s'en aller* [2] *».*

Cette dimension mériterait une étude particulière, ne
serait-ce que par ce qu'elle nous apprend et des ténèbres
de l'inconscient et de celles de l'« impérialisme ». L'essentiel, cependant, tient dans ce commentaire de Marlow :
« *Mais le monde sauvage l'avait très vite percé à jour, et
avait tiré une terrible vengeance de sa fantastique invasion. Je crois qu'il lui avait murmuré à l'oreille des choses
qu'il ignorait sur son propre compte, des choses dont il
n'avait aucune idée avant son tête-à-tête avec cette
grande solitude – et que ce murmure avait exercé une
irrésistible fascination* [3] *.» Le spectacle qui en résulte, que
contemple Marlow, le conduit à rien moins qu'opposer la
sauvagerie pure et simple, « un véritable soulagement,
quelque chose qui avait manifestement le droit à l'existence au grand soleil », à « quelque contrée ombreuse
d'horreurs subtiles* [4]*».*

J. Galsworthy, l'auteur de l'étonnante Saga des For-
syte *qui s'est consacré à la littérature en partie sous
l'influence de Conrad, avait compris qu'il était insuffi-
sant ou peu pertinent de se poser la question des
influences littéraires qui avaient formé son ami, même si
Flaubert ou Henry James, pour ne citer qu'eux, ont joué*

1. *Ibid.*, p. 223.
2. *Ibid.*, p. 249.
3. *Ibid.*, p. 255.
4. *Ibid.*, p. 257.

un rôle tout à fait indéniable. J. Galsworthy en appelle en outre au tempérament de grand lecteur plurilingue de son ami, à ses origines slaves, à sa vie d'aventures, à la langue anglaise elle-même[1]. Mais ce qu'il a si profondément saisi, chez Conrad, c'est que la perception, la compréhension d'éléments essentiels de l'Afrique et de la colonisation, ainsi que l'impressionnante puissance littéraire qu'il mobilise pour les communiquer lui sont, en définitive, parfaitement personnelles.

Michelle-Irène Brudny

---

1. Cf. J. Galsworthy, « Souvenirs sur Conrad », *La Nouvelle Revue française*, n° 135, décembre 1924; rééd. 1991, p. 13.

Heart of darkness
Au cœur des ténèbres

I

THE *Nellie*, a cruising yawl, swung to her anchor without a flutter of the sails, and was at rest. The flood had made, the wind was nearly calm, and being bound down the river, the only thing for it was to come to and wait for the turn of the tide.

The sea-reach of the Thames stretched before us like the beginning of an interminable waterway. In the offing the sea and the sky were welded together without a joint, and in the luminous space the tanned sails of the barges drifting up with the tide seemed to stand still in red clusters of canvas sharply peaked, with gleams of varnished sprits.

1. Le yawl est caractérisé par un gréement comprenant deux mâts, dont le plus court est à l'arrière, derrière le gouvernail.
2. L'ami de Conrad, G.F.W. Hope, fut deux ans propriétaire d'un yawl appelé *Nellie*, à bord duquel le romancier navigua.
3. Un évitage est un changement de direction d'un bâtiment au mouillage.

I

Le yawl[1] de plaisance *Nellie*[2] évita sur son ancre[3] sans un battement de ses voiles, et s'immobilisa. La marée montante avait pris de la force, le vent était presque nul et, comme nous descendions le fleuve, il n'y avait rien d'autre à faire que d'attendre, au mouillage, le jusant.

L'estuaire de la Tamise s'étendait devant nous, comme l'entrée d'un interminable chenal. Vers le large, ciel et mer se soudaient sans limite visible, et dans cet espace lumineux les voiles brunies des gabares[4] qui avaient été portées par le flot semblaient suspendues en rouges bouquets de toile très apiqués[5], où luisait le vernis des livardes[6].

4. Une gabare (ou gabarre) est un bâtiment de charge et de transport.
5. Apiquer, c'est incliner les vergues pour diminuer l'espace occupé par le bâtiment.
6. C'est bien de *sprits* qu'il s'agit, donc de livarde, pièce de bois qui élève et pousse sous le vent du mât et vers l'arrière une voile trapézoïdale dite à livarde.

A haze rested on the low shores that ran out to sea in vanishing flatness. The air was dark above Gravesend, and farther back still seemed condensed into a mournful gloom, brooding motionless over the biggest, and the greatest, town on earth.

The Director of Companies was our captain and our host. We four affectionately watched his back as he stood in the bows looking to seaward. On the whole river there was nothing that looked half so nautical. He resembled a pilot, which to a seaman is trustworthiness personified. It was difficult to realize his work was not out there in the luminous estuary, but behind him, within the brooding gloom.

Between us there was, as I have already said somewhere, the bond of the sea. Besides holding our hearts together through long periods of separation, it had the effect of making us tolerant of each other's yarns – and even convictions. The Lawyer – the best of old fellows – had, because of his many years and many virtues, the only cushion on deck, and was lying on the only rug. The Accountant had brought out already a box of dominoes, and was toying architecturally with the bones. Marlow sat cross-legged right aft, leaning against the mizzen-mast.

Une brume légère flottait sur les rives basses dont le profil plat allait se perdre dans la mer. Au-dessus de Gravesend, l'air était sombre et, plus loin encore en arrière, paraissait condensé en lugubres ténèbres qui s'étendaient, pesantes et inertes, à l'aplomb de la plus vaste et de la plus grande ville du monde.

L'Administrateur de sociétés était notre capitaine et notre hôte [1]. Nous le considérions tous quatre avec affection, tandis que, debout à l'avant, il nous tournait le dos et regardait vers la mer. Il n'y avait rien sur tout le fleuve qui eût l'air moitié aussi nautique. Il ressemblait à un pilote, ce qui est pour un marin la sécurité faite homme. On avait peine à admettre que son métier se fît, non point là-bas dans l'estuaire lumineux, mais derrière lui, sous ce couvercle de ténèbres.

Il y avait entre nous, comme je l'ai déjà dit quelque part, le lien de la mer. Outre qu'il mainte-nait l'union de nos cœurs pendant de longues périodes de séparation, il avait pour effet de per-mettre à chacun de supporter les histoires – et même les convictions – des autres. L'Homme de loi – la crème des hommes – avait, eu égard au nombre de ses années et de ses vertus, le seul cous-sin et reposait sur la seule couverture qu'il y eût sur le pont. Le Comptable avait déjà sorti une boîte de dominos, et s'amusait à des constructions avec les rectangles d'ivoire. Marlow était assis en tailleur, tout à l'arrière, adossé au mât d'artimon.

---

1. Telle était la fonction de G.F.W. Hope. Il se reconnut d'ailleurs dans le personnage évoqué ici.

He had sunken cheeks, a yellow complexion, a straight back, an ascetic aspect, and, with his arms dropped, the palms of hands outwards, resembled an idol. The Director, satisfied the anchor had good hold, made his way aft and sat down amongst us. We exchanged a few words lazily. Afterwards there was silence on board the yacht. For some reason or other we did not begin that game of dominoes. We felt meditative, and fit for nothing but placid staring. The day was ending in a serenity of still and exquisite brilliance. The water shone pacifically; the sky, without a speck, was a benign immensity of unstained light; the very mist on the Essex marshes was like a gauzy and radiant fabric, hung from the wooded rises inland, and draping the low shores in diaphanous folds. Only the gloom to the west, brooding over the upper reaches, became more sombre every minute, as if angered by the approach of the sun.

And at last, in its curved and imperceptible fall, the sun sank low, and from glowing white changed to a dull red without rays and without heat, as if about to go out suddenly, stricken to death by the touch of that gloom brooding over a crowd of men.

Forthwith a change came over the waters, and the serenity became less brilliant but more profound. The old river in its broad reach rested unruffled at the decline of day, after ages of good service

Les joues creuses, le teint jaune, le dos droit lui donnaient l'air d'un ascète, et, les bras le long du corps, la paume des mains ouverte, il ressemblait à une idole. L'Administrateur, s'étant assuré que la prise de l'ancre était bonne, revint à la poupe et s'assit parmi nous. Nous échangeâmes quelques mots, nonchalamment. Après quoi, le silence régna sur le yacht. Pour une raison quelconque, nous ne commençâmes pas la partie de dominos. Nous étions d'humeur méditative, et tout juste bons à une contemplation placide. Le jour finissait dans la sérénité d'un éclat tranquille et délicat. L'eau luisait, paisible. Le ciel, sans une tache, était une immensité bienveillante de lumière immaculée ; même la brume, sur les marais de l'Essex, semblait une gaze éclatante, suspendue aux coteaux boisés de l'intérieur, enveloppant la rive sans relief de ses plis diaphanes. Seule, la masse d'ombre qui pesait sur le haut de l'estuaire, à l'ouest, devenait à chaque minute plus sombre, comme courroucée par l'approche du soleil.

Enfin celui-ci, dans la courbe de sa chute imperceptible, déclina franchement et passa d'une blancheur ardente à un rouge sourd, sans rayons et sans chaleur, comme s'il eût été sur le point de s'éteindre d'un coup, frappé à mort par le contact de cette masse sombre qui pesait sur une multitude humaine.

Un changement s'opéra à l'instant au-dessus des eaux, et la sérénité se fit moins éclatante mais plus profonde. Dans sa large étendue rectiligne, le vieux fleuve reposait sans une ride au déclin du jour, après des siècles de bons services

done to the race that peopled its banks, spread out in the tranquil dignity of a waterway leading to the uttermost ends of the earth. We looked at the venerable stream not in the vivid flush of a short day that comes and departs for ever, but in the august light of abiding memories. And indeed nothing is easier for a man who has, as the phrase goes, 'followed the sea' with reverence and affection, than to evoke the great spirit of the past upon the lower reaches of the Thames. The tidal current runs to and fro in its unceasing service, crowded with memories of men and ships it had borne to the rest of home or to the battles of the sea. It had known and served all the men of whom the nation is proud, from Sir Francis Drake to Sir John Franklin, knights all, titled and untitled – the great knights-errant of the sea. It had borne all the ships whose names are like jewels flashing in the night of time, from the *Golden Hind* returning with her round flanks full of treasure, to be visited by the Queen's Highness and thus pass out of the gigantic tale,

rendus à la race qui peuple ses rives, étalé dans la dignité tranquille d'une voie d'eau qui mène aux plus extrêmes confins de la terre. Nous regardions son cours vénérable, non point dans la vive lueur d'une brève journée qui vient et s'évanouit à jamais, mais à la lumière auguste des souvenirs qui demeurent. Et rien n'est plus aisé en effet, pour qui a répondu, comme l'on dit, à « l'appel de la mer » avec respect et affection, que d'évoquer la grande âme du passé sur l'estuaire de la Tamise. Le courant de la marée y monte et descend sans cesse, en auxiliaire infatigable, peuplé du souvenir innombrable des hommes et des navires qu'il a menés au repos de leur demeure ou aux batailles du large. Il avait connu et servi tous les hommes dont la nation est fière, du chevalier Francis Drake au chevalier John Franklin [1] – tous des chevaliers, qu'ils en eussent ou non le titre, les grands chevaliers errants de la mer. Il avait porté tous les navires dont les noms étincellent comme des joyaux dans la nuit des temps, de la *Golden Hind* [2] s'en revenant, les flancs rebondis chargés de trésors, pour recevoir la visite de Son Altesse la reine et sortir ainsi de la légende titanesque,

1. Né vers 1543, mort en 1596, Francis Drake est le plus grand marin et explorateur anglais du XVIᵉ siècle. John Franklin (1786-1847); officier de la marine royale et explorateur. Il avait été fait chevalier en 1829.
2. Le navire avec lequel Drake mena à bien sa plus célèbre expédition (1577-1580). Contournant l'Amérique par le sud, il traversa le Pacifique d'est en ouest, amassant au passage un riche butin pris aux Espagnols. Il regagna l'Angleterre, bouclant ainsi le demi-tour du monde, et débarqua à Plymouth un trésor évalué à un demi-million de livres du temps.

to the *Erebus* and *Terror*, bound on other conquests
– and that never returned. It had known the ships
and the men. They had sailed from Deptford, from
Greenwich, from Erith – the adventurers and the
settlers; kings' ships and the ships of men on
'Change; captains, admirals, the dark 'interlopers'
of the Eastern trade, and the commissioned 'gene-
rals' of East India fleets. Hunters for gold or pur-
suers of fame, they all had gone out on that stream,
bearing the sword, and often the torch, messengers
of the might within the land, bearers of a spark
from the sacred fire. What greatness had not floated
on the ebb of that river into the mystery of an unknown earth!... The dreams of men, the seed of
commonwealths, the germs of empires.

The sun set; the dusk fell on the stream, and
lights began to appear along the shore. The Chapman lighthouse, a three-legged thing erect on a
mud-flat, shone strongly. Lights of ships moved in
the fairway – a great stir of lights going up and
going down. And farther west on the upper
reaches the place of the monstrous town was still
marked ominously on the sky, a brooding gloom in
sunshine, a lurid glare under the stars.

1. Deux petits navires dotés d'une machine à vapeur et
d'une hélice pour participer à des expéditions arctiques. En
1845, commandés par sir John Franklin et F. Crozier, ils parti-
rent à la recherche du passage du Nord-Ouest et furent pris
par les glaces. Leurs équipages les abandonnèrent en avril
1848, mais périrent sur la banquise. Malgré de nombreuses
recherches, leur disparition ne fut éclaircie qu'en 1859, avec la
découverte du journal de l'expédition.
2. Localités de l'estuaire de la Tamise, associées dès le
xvᵉ siècle à des titres divers (bassins et entrepôts, arsenaux,
école navale, observatoire et hospice des invalides, etc.) aux

jusqu'à l'*Erebus* et à la *Terror*[1], partis pour de tout autres conquêtes – et qui ne revinrent jamais. Il avait connu les navires et les hommes. Ils étaient partis de Deptford, de Greenwich, d'Erith[2] – aventuriers et colons, vaisseaux des rois et vaisseaux des gens de Bourse ; capitaines, amiraux, obscurs «interlopes[3]» du négoce de l'Orient et «généraux» à brevet des flottes de la Compagnie des Indes. Chercheurs d'or ou chasseurs de gloire, tous étaient partis sur ce fleuve, l'épée à la main, et souvent la torche, messagers de la puissance concentrée derrière ces rivages, porteurs d'une étincelle du feu sacré. Quelle grandeur n'avait pris, sur le jusant de cet estuaire, l'élan qui lui ferait pénétrer le mystère d'une terre inconnue ! Rêves des hommes, graines d'États, germes d'empires.

Le soleil disparut, l'ombre s'abattit sur le fleuve, des lumières commencèrent à apparaître le long du rivage. Le phare de Chapman[4], juché sur ses trois pattes au-dessus d'un banc de vase, brillait d'un éclat vif. Des feux de navires se déplaçaient dans la passe – tout un remue-ménage de fanaux qui montaient et descendaient. Et plus loin à l'ouest, très en amont, l'emplacement de la ville monstrueuse avait laissé sa marque sinistre sur le ciel ; la masse pesante et sombre de tout à l'heure, au soleil, était devenue sous les étoiles une énorme lueur blême.

marines de guerre et de commerce. Les deux premières sont depuis longtemps des faubourgs de Londres.

3. Navires marchands, faisant une concurrence illégale aux flottes des compagnies bénéficiant d'un privilège.

4. Phare reposant sur un tripode d'acier. La nature du sous-sol explique qu'en aval on ne trouve plus que des bateaux-phares.

'And this also,' said Marlow suddenly, 'has been one of the dark places of the earth.'

He was the only man of us who still 'followed the sea.' The worst that could be said of him was that he did not represent his class. He was a seaman, but he was a wanderer, too, while most seamen lead, if one may so express it, a sedentary life. Their minds are of the stay-at-home order, and their home is always with them – the ship; and so is their country – the sea. One ship is very much like another, and the sea is always the same. In the immutability of their surroundings the foreign shores, the foreign faces, the changing immensity of life, glide past, veiled not by a sense of mystery but by a slightly disdainful ignorance; for there is nothing mysterious to a seaman unless it be the sea itself, which is the mistress of his existence and as inscrutable as Destiny. For the rest, after his hours of work, a casual stroll or a casual spree on shore suffices to unfold for him the secret of a whole continent, and generally he finds the secret not worth knowing. The yarns of seamen have a direct simplicity, the whole meaning of which lies within the shell of a cracked nut. But Marlow was not typical (if his propensity to spin yarns be excepted), and to him the meaning of an episode was not inside like a kernel but outside, enveloping the tale which brought it out only as a glow brings out a haze, in the likeness

« Ici aussi, dit soudain Marlow, ç'a été un des coins obscurs de la terre. »

Il était le seul d'entre nous à continuer de « répondre à l'appel de la mer ». Le pis que l'on pût dire de lui était qu'il n'était pas représentatif de sa classe. Il était marin, mais il était aussi nomade, alors que la plupart des marins mènent, si l'on ose dire, une vie sédentaire. Ils ont l'esprit d'un tour casanier, et leur maison ne les quitte jamais – c'est le navire ; il en va de même pour leur pays – la mer. Rien qui ressemble plus à un navire qu'un autre navire, et la mer est toujours la même. Dans l'immuabilité de ce qui les entoure, les rivages étrangers, les visages étrangers, l'immensité changeante de la vie, tout cela défile lentement, derrière le voile tendu non point par le sentiment du mystère, mais par une ignorance teintée de mépris ; car il n'est rien de mystérieux pour un marin, hormis la mer elle-même, qui est la maîtresse de son existence, aussi impénétrable que la Destinée. Quant au reste, après ses heures de travail, le hasard d'une flânerie ou d'une bordée à terre suffit à déployer à ses yeux le secret de tout un continent, et il estime en général que le secret ne vaut pas d'être connu. Les histoires de marins ont une simplicité directe, dont tout le sens tient dans la coque d'une noix ouverte. Mais Marlow n'était pas typique (si l'on excepte sa propension à dévider des histoires), et pour lui le sens d'un épisode n'était pas à l'intérieur comme les cerneaux, mais à l'extérieur, enveloppant seulement le récit qui l'amenait au jour comme un éclat voilé fait ressortir une brume, à la semblance

31

of one of these misty halos that sometimes are made visible by the spectral illumination of moonshine.

His remark did not seem at all surprising. It was just like Marlow. It was accepted in silence. No one took the trouble to grunt even; and presently he said, very slow –

'I was thinking of very old times, when the Romans first came here, nineteen hundred years ago – the other day... Light came out of this river since – you say Knights? Yes; but it is like a running blaze on a plain, like a flash of lightning in the clouds. We live in the flicker – may it last as long as the old earth keeps rolling! But darkness was here yesterday. Imagine the feelings of a commander of a fine – what d'ye call 'em? – trireme in the Mediterranean, ordered suddenly to the north; run overland across the Gauls in a hurry; put in charge of one of these craft the legionaries – a wonderful lot of handy men they must have been, too – used to build, apparently by the hundred, in a month or two, if we may believe what we read. Imagine him here – the very end of the world, a sea the colour of lead, a sky the colour of smoke, a kind of ship about as rigid as a concertina – and going up this river with stores, or orders, or what you like. Sand-banks, marshes, forests, savages, – precious little to eat fit for a civilized man, nothing

de l'un de ces halos vaporeux que rend parfois visibles l'illumination spectrale du clair de lune.

Sa remarque ne parut pas du tout surprenante. C'était bien du Marlow. Elle fut acceptée en silence. Nul ne prit la peine d'émettre ne serait-ce qu'un grognement, et bientôt il dit, d'une voix très lente :

«Je pensais aux temps très anciens où les Romains sont arrivés ici pour la première fois, il y a dix-neuf cents ans – l'autre jour… Une lumière a rayonné à partir de ce fleuve depuis – des chevaliers, dites-vous ? Oui ; mais elle ressemble à un incendie qui galope sur une plaine, à un éclair jaillissant d'entre les nuages. Nous vivons dans cette lueur fugitive, puisse-t-elle durer aussi longtemps que la vieille terre continuera de rouler ! Mais les ténèbres, hier, régnaient ici. Imaginez les sentiments du commandant d'une de ces superbes – comment appelle-t-on ça ? – trirèmes de la Méditerranée, expédié tout d'un coup vers le nord ; traversant en hâte tout le territoire de la Gaule ; mis à la tête de l'un de ces bâtiments que les légionnaires – ce devaient être de fameux débrouillards – construisaient à l'époque, par centaines apparemment, en un mois ou deux, s'il faut en croire ce qu'on lit. Représentez-vous-le où nous sommes – vraiment le bout du monde, une mer couleur de plomb, un ciel couleur de fumée, une espèce de navire à peu près aussi rigide qu'un accordéon – et remontant ce fleuve avec des approvisionnements, ou des dépêches, ou tout ce que vous voudrez. Des bancs de sable, des marais, des forêts, des sauvages – pratiquement rien à se mettre sous la dent qui soit digne d'un civilisé, rien

but Thames water to drink. No Falernian wine here, no going ashore. Here and there a military camp lost in a wilderness, like a needle in a bundle of hay – cold, fog, tempests, disease, exile, and death – death skulking in the air, in the water, in the bush. They must have been dying like flies here. Oh, yes – he did it. Did it very well, too, no doubt, and without thinking much about it either, except afterwards to brag of what he had done through his time, perhaps. They were men enough to face the darkness. And perhaps he was cheered by keeping his eye on a chance of promotion to the fleet at Ravenna by-and-by, if he had good friends in Rome and survived the awful climate. Or think of a decent young citizen in a toga – perhaps too much dice, you know – coming out here in the train of some prefect, or tax-gatherer, or trader even, to mend his fortunes. Land in a swamp, march through the woods, and in some inland post feel the savagery, the utter savagery, had closed round him, – all that mysterious life of the wilderness that stirs in the forest, in the jungles, in the hearts of wild men. There's no initiation either into such mysteries. He has to live in the midst of the incomprehensible, which is also detestable. And it has a

à boire que l'eau de la Tamise. Ici, pas de vin de Falerne[1], pas de petits tours à terre. Çà et là, un camp militaire perdu dans la brousse, comme une aiguille dans une botte de foin – le froid, le brouillard épais, des tempêtes, la maladie, l'exil et la mort – la mort tapie dans l'air, dans l'eau, dans le taillis. Ils devaient tomber comme des mouches, par ici. Oh si, il tint le coup. Et sûrement très bien, avec ça, et sans même y prêter tellement attention, si ce n'est plus tard, peut-être, pour se vanter d'en avoir vu de toutes les couleurs, de son temps. Ils étaient hommes à affronter les ténèbres. Et peut-être trouvait-il du réconfort à garder les yeux rivés sur une éventuelle promotion à la flotte de Ravenne dans pas trop longtemps, s'il avait des amis sûrs à Rome et s'il survivait au climat épouvantable. Ou bien imaginez un jeune citoyen en toge, très comme il faut – un goût excessif pour les dés, peut-être, enfin vous voyez –, venant jusqu'ici dans la suite de quelque préfet, percepteur, ou même marchand, pour restaurer sa fortune. Débarquer dans un marécage, faire des marches à travers bois, et sentir, dans quelque poste de l'intérieur, que la sauvagerie, la sauvagerie absolue l'a encerclé – toute cette vie mystérieuse de la nature brute qui palpite dans la forêt, dans les jungles, dans le cœur des sauvages. Et il n'y a pas moyen non plus de s'initier à ces mystères-là. Il lui faut vivre au milieu de l'incompréhensible, ce qui est également détestable. Et qui a, en outre, une

---

1. Célèbre dans l'Antiquité, ce vin de Campanie est cité par Horace, dont Conrad avait étudié les *Odes*.

fascination, too, that goes to work upon him. The fascination of the abomination – you know, imagine the growing regrets, the longing to escape, the powerless disgust, the surrender, the hate.'

He paused.

'Mind,' he began again, lifting one arm from the elbow, the palm of the hand outwards, so that, with his legs folded before him, he had the pose of a Buddha preaching in European clothes and without a lotus-flower – 'Mind, none of us would feel exactly like this. What saves us is efficiency – the devotion to efficiency. But these chaps were not much account, really. They were no colonists; their administration was merely a squeeze, and nothing more, I suspect. They were conquerors, and for that you want only brute force – nothing to boast of, when you have it, since your strength is just an accident arising from the weakness of others. They grabbed what they could get for the sake of what was to be got. It was just robbery with violence, aggravated murder on a great scale, and men going at it blind – as is very proper for those who tackle a darkness. The conquest of the earth, which mostly means the taking it away from those who have a different complexion or slightly flatter noses than ourselves, is not a pretty thing when you look into it too much. What redeems it is the idea only. An idea at the back of it; not a sen-timental pretence but an idea; and an unselfish belief in the

36

fascination qui commence d'agir sur lui. La fascination de l'abominable, voyez-vous. Imaginez les
regrets croissants, le désir d'évasion, le dégoût
impuissant, l'abdication, la haine.»

Il se tut.

«Remarquez», reprit-il en levant un avant-bras,
la paume de la main en dehors, si bien qu'avec ses
jambes pliées en tailleur il avait la pose d'un
Bouddha prêchant en costume européen et sans
fleur de lotus, «remarquez, aucun d'entre nous
ne ressentirait exactement la même chose. Ce qui
nous sauve, c'est l'efficacité, le culte de l'efficacité. Mais ces gaillards-là n'étaient pas bien
sérieux, au fond. Ce n'étaient pas des colonisa-
teurs; je soupçonne que leur administration se
réduisait à faire suer le burnous, un point, c'est
tout. C'étaient des conquérants, et, pour cela, on
n'a besoin que de la force brute – il n'y a pas de
quoi se vanter quand on l'a, puisque votre force
n'est qu'un accident produit par la faiblesse
d'autrui. Ils faisaient main basse sur tout ce qui
traînait, par principe. Ce n'était que du vol à main
armée, du meurtre qualifié à grande échelle, et
les hommes s'y livraient les yeux fermés, comme
il sied tout à fait à des gens qui s'attaquent à une
contrée de ténèbres. La conquête de la planète,
qui signifie pour l'essentiel qu'on l'arrache à ceux
qui n'ont pas le même teint, ou bien ont le nez un
peu plus camus que nous, n'est pas un joli spectacle, si l'on y regarde de trop près. La seule chose
qui la rachète, c'est l'idée. Une idée qu'il y a là-
derrière : non pas un faux-semblant sentimental,
mais une idée; et une foi désintéressée en cette

idea – something you can set up, and bow down before, and offer a sacrifice to…'

He broke off. Flames glided in the river, small green flames, red flames, white flames, pursuing, overtaking, joining, crossing each other – then separating slowly or hastily. The traffic of the great city went on in the deepening night upon the sleepless river. We looked on, waiting patiently – there was nothing else to do till the end of the flood; but it was only after a long silence, when he said, in a hesitating voice, 'I suppose you fellows remember I did once turn fresh-water sailor for a bit,' that we knew we were fated, before the ebb began to run, to hear about one of Marlow's inconclusive experiences.

'I don't want to bother you much with what happened to me personally,' he began, showing in this remark the weakness of many tellers of tales who seem so often unaware of what their audience would best like to hear; 'yet to understand the effect of it on me you ought to know how I got out there, what I saw, how I went up that river to the place where I first met the poor chap. It was the farthest point of navigation and the culminating point of my experience. It seemed somehow to throw a

idée – quelque chose que l'on puisse exalter, devant quoi s'incliner, à quoi offrir un sacrifice…»

Il s'interrompit. Des lumières glissaient sur le fleuve, petites flammes vertes, rouges, blanches[1], qui se poursuivaient, se dépassaient, se joignaient, se croisaient, puis s'écartaient, lentement ou très vite. Le mouvement de la grande cité se prolongeait, dans la nuit qui se faisait plus épaisse, sur le fleuve sans repos. Nous regardions ce spectacle, attendant patiemment – il n'y avait rien d'autre à faire avant la fin du flux; mais ce ne fut qu'après un long silence, quand il dit, d'une voix hésitante : «Je pense que vous n'avez pas oublié, braves gens, qu'il m'est arrivé une fois de me changer pour un temps en marin d'eau douce», que nous sûmes que nous étions condamnés, avant que le jusant ne s'installe, à entendre Marlow relater l'un des épisodes indécis de son existence.

«Je vous ferai grâce de ce qui m'est arrivé personnellement», commença-t-il, trahissant ainsi la faiblesse de bien des raconteurs, qui semblent si souvent ignorer ce que leur auditoire préférerait apprendre; «cependant, pour comprendre quel effet tout cela a eu sur moi, il faut bien que vous sachiez comment je suis allé là-bas, ce que j'y ai vu, comment j'ai remonté cet autre fleuve jusqu'au lieu où j'ai rencontré ce pauvre diable pour la première fois. C'était le point extrême de la navigation, ce fut le point culminant de mon aventure. Il me donna l'impression de jeter une

1. Il s'agit des feux de route de tout navire : blanc à l'arrière, rouge à bâbord, vert à tribord.

kind of light on everything about me – and into my thoughts. It was sombre enough, too – and pitiful – not extraordinary in any way – not very clear either. No, not very clear. And yet it seemed to throw a kind of light.

'I had then, as you remember, just returned to London after a lot of Indian Ocean, Pacific, China Seas – a regular dose of the East – six years or so, and I was loafing about, hindering you fellows in your work and invading your homes, just as though I had got a heavenly mission to civilize you. It was very fine for a time, but after a bit I did get tired of resting. Then I began to look for a ship – I should think the hardest work on earth. But the ships wouldn't even look at me. And I got tired of that game, too.

'Now when I was a little chap I had a passion for maps. I would look for hours at South America, or Africa, or Australia, and lose myself in all the glories of exploration. At that time there were many blank spaces on the earth, and when I saw one that looked particularly inviting on a map (but they all look that) I would put my finger on it and say, "When I grow up I will go there". The North Pole was one of these places, I remember. Well, I haven't been there yet, and shall not try now.

sorte de lumière sur tout ce qui m'entourait – et jusque sur mes propres pensées. Il était, avec ça, passablement sinistre – et pitoyable – en aucune façon extraordinaire – pas bien clair non plus. Non, pas bien clair. Et pourtant, il paraissait jeter une sorte de lumière.

«Je venais à cette époque-là, vous vous en souvenez, de rentrer à Londres après avoir beaucoup bourlingué dans l'océan Indien, le Pacifique, les mers de Chine – une bonne cure d'Extrême-Orient – six ans à peu près, et je flânais de droite et de gauche, venais vous déranger dans votre travail, bonnes gens, et faire intrusion chez vous, tout comme si j'avais reçu du ciel mission de vous civiliser. Pendant un certain temps, ce fut parfait, mais au bout d'un moment je me lassai vraiment de me reposer. Je me mis alors à chercher un navire – la tâche la plus ingrate qui soit sur terre, je crois bien. Mais les navires ne daignaient pas même s'apercevoir de mon existence. Et je me lassai de ce jeu-là aussi.

«Il se trouve que, quand j'étais gamin, j'avais une vraie passion pour les cartes géographiques. Je passais des heures à contempler l'Amérique du Sud, ou l'Afrique, ou l'Australie, et à m'absorber dans toutes les splendeurs de l'exploration. À l'époque, il y avait beaucoup d'espaces vierges sur les planches des atlas, et lorsque j'en voyais un qui me paraissait spécialement séduisant sur une carte (mais tous ont cet air-là), je posais le doigt dessus, et disais "Quand je serai grand, j'irai là". Le pôle Nord était l'un de ces endroits, je m'en souviens. Eh bien, je n'y suis pas encore allé, et maintenant, je n'essaierai plus.

The glamour's off. Other places were scattered about the Equator, and in every sort of latitude all over the two hemispheres. I have been in some of them, and... well, we won't talk about that. But there was one yet – the biggest, the most blank, so to speak – that I had a hankering after.

'True, by this time it was not a blank space any more. It had got filled since my boyhood with rivers and lakes and names. It had ceased to be a blank space of delightful mystery – a white patch for a boy to dream gloriously over. It had become a place of darkness. But there was in it one river especially, a mighty big river, that you could see on the map, resembling an immense snake uncoiled, with its head in the sea, its body at rest curving afar over a vast country, and its tail lost in the depths of the land. And as I looked at the map of it in a shop-window, it fascinated me as a snake would a bird – a silly little bird. Then I remembered there was a big concern, a Company for trade on that river. Dash it all! I thought to myself, they can't trade without using some kind of craft on that lot of fresh water – steamboats! Why shouldn't I try to get charge of one? I went on along Fleet Street, but could not shake off the idea. The snake had charmed me.

'You understand it was a Continental concern, that Trading society; but I have a lot of relations

Le charme s'est évanoui. D'autres lieux étaient éparpillés du côté de l'équateur, et à toutes sortes de latitudes sur toute la surface des deux hémisphères. Je suis allé dans certains d'entre eux, et... Allons, on ne va pas parler de ça. Mais il en restait un – le plus grand, le plus vierge, si je puis dire, après lequel je soupirais toujours.

«À ce moment-là, il est vrai, ce n'était plus un espace vierge. Depuis mon enfance, il s'était rempli de fleuves et de rivières, de lacs, de noms. Il avait cessé d'être un espace vierge au délicieux mystère – une tache blanche sur laquelle un petit garçon pouvait bâtir de lumineux rêves de gloire. C'était devenu un lieu de ténèbres. Mais il y avait là un fleuve en particulier, un fleuve énorme, que l'on voyait sur la carte, tel un immense serpent délové, la tête dans la mer, le corps au repos s'incurvant longuement par une vaste contrée, la queue perdue dans les profondeurs du continent. Et comme je regardais la carte de ce pays dans une vitrine, il me fascina comme un serpent fait d'un oiseau – d'un petit oiseau sans cervelle. Il me revint alors qu'il y avait une grosse firme, une Compagnie pour le commerce sur ce fleuve. Crénom! raisonnai-je à part moi, on ne peut pas faire de commerce sans utiliser quelque espèce de bateau sur une masse pareille d'eau douce – des vapeurs! Pourquoi n'essaierais-je pas de m'en faire confier un? Je poursuivis mon chemin le long de Fleet Street, mais je ne pouvais chasser cette idée. Le serpent m'avait lancé un charme.

«Vous avez deviné que cette Compagnie commerciale était une entreprise menée d'Europe continentale; mais j'ai pas mal de parents

living on the Continent, because it's cheap and not so nasty as it looks, they say.

'I am sorry to own I began to worry them. This was already a fresh departure for me. I was not used to get things that way, you know. I always went my own road and on my own legs where I had a mind to go. I wouldn't have believed it of myself; but, then – you see – I felt somehow I must get there by hook or by crook. So I worried them. The men said "My dear fellow," and did nothing. Then – would you believe it? – I tried the women. I, Charlie Marlow, set the women to work – to get a job. Heavens! Well, you see, the notion drove me. I had an aunt, a dear enthusiastic soul. She wrote: "It will be delightful. I am ready to do anything, anything for you. It is a glorious idea. I know the wife of a very high personage in the Administration, and also a man who has lots of influence with," etc., etc. She was determined to make no end of fuss to get me appointed skipper of a river steamboat, if such was my fancy.

'I got my appointment – of course; and I got it very quick. It appears the Company had receiv-ed news that one of their captains had been killed in a scuffle with the natives. This was

qui vivent sur le Continent, parce que c'est bon marché, et pas aussi infect que ça en a l'air, à ce qu'ils disent.

« Je suis au regret d'avouer que je me mis à les importuner. Ce qui déjà était tout à fait étranger à mes habitudes. Je n'avais pas coutume, voyez-vous, d'obtenir les choses de cette façon. J'ai toujours suivi ma propre route, porté par mes propres jambes, jusqu'à l'endroit où j'avais envie d'aller. Je ne me serais pas cru capable de faire autrement ; mais voilà, figurez-vous, j'avais le sentiment qu'il me fallait à tout prix aller là-bas sans être trop regardant sur les moyens. Je me mis donc à les importuner. Les hommes répondirent "mais comment donc, mon cher…", et ne levèrent pas le petit doigt. Alors – le croiriez-vous ? – j'essayai les femmes. Moi, Charlie Marlow, je fis intervenir les femmes pour obtenir un emploi. Grands dieux ! Enfin, vous le voyez, l'idée m'aiguillonnait. J'avais une tante, cette chère femme était une enthousiaste. Elle m'écrivit : "Ce sera charmant. Je suis prête à faire n'importe quoi, n'importe quoi pour vous. C'est une idée magnifique. Je connais la femme d'un personnage très haut placé dans l'Administration, et aussi un homme qui a le bras très long auprès de…", etc. Elle était résolue à remuer ciel et terre pour me faire nommer commandant d'un vapeur fluvial, si telle était ma fantaisie.

« J'obtins ma nomination – bien sûr ; et je l'obtins très vite. Il apparaît que la Compagnie avait appris que l'un de ses capitaines avait été tué dans une échauffourée avec les indigènes. Ce fut

my chance, and it made me the more anxious to go. It was only months and months afterwards, when I made the attempt to recover what was left of the body, that I heard the original quarrel arose from a misunderstanding about some hens. Yes, two black hens. Fresleven – that was the fellow's name, a Dane – thought himself wronged somehow in the bargain, so he went ashore and started to hammer the chief of the village with a stick. Oh, it didn't surprise me in the least to hear this, and at the same time to be told that Fresleven was the gentlest, quietest creature that ever walked on two legs. No doubt he was; but he had been a couple of years already out there engaged in the noble cause, you know, and he probably felt the need at last of asserting his self-respect in some way. Therefore he whacked the old nigger mercilessly, while a big crowd of his people watched him, thunderstruck, till some man – I was told the chief's son – in desperation at hearing the old chap yell, made a tentative jab with a spear at the white man – and of course it went quite easy between the shoulder-blades. Then the whole population cleared into the forest, expecting all kinds of calamities to happen, while, on the other hand, the steamer Fresleven commanded left also in a bad panic, in charge of the engineer, I believe. Afterwards nobody seemed to trouble much about Fresleven's remains, till I got out and stepped into his shoes. I couldn't let it rest, though; but

ma chance, et elle ne me rendit que plus impatient de partir. Ce n'est que des mois et des mois
plus tard, quand j'entrepris de recueillir ce qui restait du corps, qu'il m'est venu aux oreilles que la
querelle initiale était née d'un malentendu à propos de quelques volailles. Oui, de deux poules
noires. Fresleven – c'était le nom de mon bonhomme, un Danois – se crut plus ou moins lésé
dans l'affaire, il descendit donc à terre et se mit à
bâtonner avec ardeur le chef du village. Oh, je n'ai
pas été le moins du monde surpris d'entendre
raconter ça, et qu'on m'explique en même temps
que Fresleven était le bipède le plus doux et le
plus paisible qui ait jamais existé. C'était sûrement
le cas ; mais cela faisait deux ans déjà qu'il était là-
bas à servir la noble cause, voyez-vous, et il est probable qu'il a fini par éprouver le besoin d'affirmer
sa dignité d'une façon ou d'une autre. Voilà pourquoi il cognait sur ce vieux Nègre à tour de bras,
sous le regard de tout son village sidéré ; jusqu'au
moment où quelqu'un – le fils du chef, m'a-t-on
dit –, ne pouvant plus supporter d'entendre le
vieux hurler, darda sa lance à tout hasard sur
l'homme blanc, et naturellement, elle pénétra
entre les deux omoplates comme dans du beurre.
La population entière s'égailla alors dans la forêt,
s'attendant à toutes sortes de calamités, tandis que
de son côté le vapeur que commandait Fresleven
filait aussi dans une fameuse panique, sous les
ordres du mécanicien, je crois. Par la suite, personne ne parut se soucier beaucoup des restes de
Fresleven, avant que je ne vienne chausser ses
bottes. Je ne pus m'en désintéresser, pourtant ; mais

when an opportunity offered at last to meet my predecessor, the grass growing through his ribs was tall enough to hide his bones. They were all there. The supernatural being had not been touched after he fell. And the village was deserted, the huts gaped black, rotting, all askew within the fallen enclosures. A calamity had come to it, sure enough. The people had vanished. Mad terror had scattered them, men, women, and children, through the bush, and they had never returned. What became of the hens I don't know either. I should think the cause of progress got them, anyhow. However, through this glorious affair I got my appointment, before I had fairly begun to hope for it.

'I flew around like mad to get ready, and before forty-eight hours I was crossing the Channel to show myself to my employers, and sign the contract. In a very few hours I arrived in a city that always makes me think of a whited sepulchre. Prejudice no doubt. I had no difficulty in finding the Company's offices. It was the biggest thing in the town, and everybody I met was full of it. They were going to run an over-sea empire, and make no end of coin by trade.

quand l'occasion s'offrit enfin de rencontrer mon prédécesseur, l'herbe qui lui poussait entre les côtes était assez haute pour dissimuler ses ossements. Ils étaient au complet. On n'avait pas touché à l'être surnaturel depuis sa chute. Et le village était abandonné, les cases béaient, noires, pourrissantes, toutes de guingois dans leurs enclos effondrés. Pas de doute, une calamité l'avait bien frappé. Ses habitants avaient disparu. Une terreur folle les avait éparpillés, hommes, femmes, enfants, dans la brousse, et ils n'étaient jamais revenus. Je ne sais pas davantage ce qu'il est advenu des poules. Je croirais volontiers que la cause du progrès ne les a pas ratées. Néanmoins, c'est à la suite de cette glorieuse affaire que je décrochai ma nomination, avant d'avoir eu le temps de l'espérer pour de bon.

« Je me démenai comme un beau diable pour faire mes préparatifs, et moins de quarante-huit heures après je traversais la Manche pour me présenter à mes employeurs et signer le contrat. Au bout de quelques heures, j'arrivai dans une grande ville qui me fait toujours penser à un sépulcre blanchi[1]. Pur préjugé, assurément. Je trouvai sans aucune difficulté les bureaux de la Compagnie. C'était la plus grosse machine de la ville, et tous les gens que je rencontrai en avaient plein la bouche. On allait administrer un empire outre-mer, et gagner tout plein de gros sous par le négoce.

---

1. Bruxelles n'est jamais autrement nommée ; jusqu'à la fin du récit ce sera « la cité sépulcrale ». L'expression employée ici paraît clairement empruntée à l'Évangile (Matthieu, XXIII, 27 : « Malheur à vous, scribes et Pharisiens, hypocrites ! car vous êtes comme des sépulcres blanchis… »

'A narrow and deserted street in deep shadow, high houses, innumerable windows with venetian blinds, a dead silence, grass sprouting between the stones, imposing carriage archways right and left, immense double doors standing ponderously ajar. I slipped through one of these cracks, went up a swept and ungarnished staircase, as arid as a desert, and opened the first door I came to. Two women, one fat and the other slim, sat on straw-bottomed chairs, knitting black wool. The slim one got up and walked straight at me – still knitting with downcast eyes – and only just as I began to think of getting out of her way, as you would for a somnambulist, stood still, and looked up. Her dress was as plain as an umbrella-cover, and she turned round without a word and preceded me into a waiting-room. I gave my name, and looked about. Deal table in the middle, plain chairs all round the walls, on one end a large shining map, marked with all the colours of a rainbow. There was a vast amount of red – good to see at any time, because one knows that some real work is done in there, a deuce of a lot of blue, a little green, smears of orange, and, on the East Coast, a purple patch, to show where the jolly pioneers of progress drink the jolly lager-beer.

---

1. L'arc-en-ciel des couleurs conventionnelles de la cartographie politique permet à Conrad de placer dans la bouche de

« Une rue étroite et vide plongée dans une ombre profonde, de hautes maisons, d'innombrables fenêtres voilées de stores vénitiens, un silence de mort, de l'herbe qui poussait entre les pavés, à droite et à gauche d'imposantes portes cochères, d'immenses doubles vantaux qui se dressaient, lourdement entrebâillés. Je me glissai par une de ces fissures, montai un escalier bien balayé mais nu, aride comme un désert, et ouvris la première porte qui se présenta. Deux femmes, l'une grosse et l'autre mince, étaient assises sur ces chaises paillées, à tricoter de la laine noire. La mince se leva et marcha droit sur moi – toujours tricotant et les yeux baissés – et à l'instant précis où je songeais à m'écarter de son chemin, comme on ferait devant un somnambule, elle s'arrêta net, et leva les yeux. Elle avait une robe aussi coquette qu'un fourreau de parapluie, elle tourna les talons sans un mot, et je la suivis jusque dans une antichambre. Je donnai mon nom, et examinai les lieux. Une table de bois blanc au milieu, des chaises banales tout au long des murs, à une extrémité une grande carte luisante, coloriée dans tous les tons de l'arc-en-ciel. Il y avait une énorme quantité de rouge – toujours réconfortant à voir, car on sait que là au moins s'accomplit du travail sérieux, une sacrée quantité de bleu, un peu de vert, quelques traînées d'orange et, sur la côte orientale, une tache violette, pour signaler l'endroit où les allègres pionniers du progrès boivent l'allègre bière de Munich[1].

Marlow un distingo patriotique entre la colonisation britannique et celle des autres puissances européennes.

51

However, I wasn't going into any of these. I was going into the yellow. Dead in the centre. And the river was there – fascinating – deadly – like a snake. Ough! A door opened, a white-haired secretarial head, but wearing a compassionate expression, appeared, and a skinny forefinger beckoned me into the sanctuary. Its light was dim, and a heavy writing-desk squatted in the middle. From behind that structure came out an impression of pale plumpness in a frock-coat. The great man himself. He was five feet six, I should judge, and had his grip on the handle-end of ever so many millions. He shook hands, I fancy, murmured vaguely, was satisfied with my French. *Bon voyage*

'In about forty-five seconds I found myself again in the waiting-room with the compassionate secretary, who, full of desolation and sympathy, made me sign some document. I believe I undertook amongst other things not to disclose any trade secrets. Well, I am not going to.

'I began to feel slightly uneasy. You know I am not used to such ceremonies, and there was something ominous in the atmosphere. It was just as though I had been let into some conspiracy – I don't know – something not quite right; and I was glad to get out. In the outer room the two women knitted black wool feverishly. People were arriving, and the younger one was walking back

Ce n'est cependant dans aucune de ces couleurs que j'allais. J'allais dans le jaune. En plein milieu. Et le fleuve était là – fascinant – mortel – comme un serpent. Brrr! Une porte s'ouvrit, une tête de secrétaire aux cheveux blancs, mais qui arborait une expression apitoyée, apparut, et un index décharné me fit signe d'entrer dans le sanctuaire. La lumière y était tamisée, et en son centre se tassait un bureau massif. De derrière cet édifice émanait l'impression d'une pâle corpulence en redingote. Le grand homme en personne. Il faisait un mètre soixante-dix à peine, à ce qu'il me sembla, et tenait entre ses doigts les commandes d'une quantité impressionnante de millions. Il me serra la main, je crois bien, murmura vaguement quelque chose, se montra satisfait de mon français. Bon voyage.

« Au bout d'environ quarante-cinq secondes, je me retrouvai dans l'antichambre avec le secrétaire apitoyé, qui, plein de tristesse et de commisération, me fit signer certain document. Je crois bien que je m'engageais, entre autres choses, à ne divulguer aucun secret commercial. Soyez tranquilles, je n'en ferai rien.

« Je commençais à me sentir un peu mal à l'aise. Vous savez que je ne suis pas habitué à ce genre de cérémonies, et il y avait quelque chose de menaçant dans l'atmosphère. Tout se passait comme si j'avais été admis dans quelque conspiration – je ne sais pas, quelque chose d'un peu douteux; et je fus heureux de sortir. Dans la première pièce, les deux femmes tricotaient fébrilement leur laine noire. Il arrivait des gens, et la plus jeune faisait la navette

and forth introducing them. The old one sat on her chair. Her flat cloth slippers were propped up on a foot-warmer, and a cat reposed on her lap. She wore a starched white affair on her head, had a wart on one cheek, and silver-rimmed spectacles hung on the tip of her nose. She glanced at me above the glasses. The swift and indifferent placidity of that look troubled me. Two youths with foolish and cheery countenances were being piloted over, and she threw at them the same quick glance of unconcerned wisdom. She seemed to know all about them and about me, too. An eerie feeling came over me. She seemed uncanny and fateful. Often far away there I thought of these two, guarding the door of Darkness, knitting black wool as for a warm pall, one introducing, introducing continuously to the unknown, the other scrutinizing the cheery and foolish faces with unconcerned old eyes. *Ave!* Old knitter of black wool. *Morituri te salutant.* Not many of those she looked at ever saw her again – not half, by a long way.

'There was yet a visit to the doctor. "A simple formality," assured me the secretary, with an air of taking an immense part in all my sorrows. Accordingly a young chap wearing his hat over the left eyebrow, some clerk I suppose – there

---

1. Ces deux «gardiennes» ne renvoient pas seulement aux Parques; elles font aussi allusion aux sœurs fatidiques de *Macbeth* et, plus immédiatement, à Mme Defarge et aux sinistres tricoteuses du *Conte des deux villes* de Dickens.

2. «Salut (César), ceux qui vont mourir te saluent.» Ce sont

avec l'antichambre. La vieille restait assise sur sa chaise. Ses pantoufles de tissu étaient calées sur une chaufferette, et dans son giron reposait un chat. Elle portait sur la tête une espèce de coiffe blanche empesée, elle avait une verrue sur une joue et des lunettes cerclées d'argent juchées sur le bout du nez. Elle me lança un coup d'œil par-dessus ses verres. La placidité rapide et indifférente de ce regard me laissa songeur. On pilotait vers les bureaux deux jeunes gens à la mine niaise et réjouie, et elle leur jeta le même bref coup d'œil de sagesse détachée. Elle paraissait n'avoir plus rien à apprendre sur leur compte, non plus que sur le mien d'ailleurs. Un sentiment d'étrangeté me gagna. Elle avait un air bizarre et fatal. Souvent, tout là-bas, je songeai à ces deux gardiennes de la porte des ténèbres, tricotant la laine noire, comme pour envelopper chaudement un cercueil, l'une faisant entrer, faisant entrer sans trêve dans l'inconnu, l'autre scrutant les visages réjouis et niais avec le détachement de ses yeux sans âge. *Ave!* vieille tricoteuse de laine noire [1]. *Morituri te salutant* [2]. Bien peu de ceux qu'elle regardait la revirent jamais – pas la moitié, il s'en faut de beaucoup.

« Il y avait encore une visite au médecin. "Simple formalité", m'assura le secrétaire, l'air de prendre une part immense à tous mes chagrins. Aussi, un garçon au chapeau incliné sur le sourcil gauche, un employé quelconque, je présume – il

les mots qu'adressaient à l'empereur les gladiateurs romains, quand, défilant dans l'arène avant le combat, ils passaient devant la loge.

must have been clerks in the business, though the house was as still as a house in a city of the dead – came from somewhere upstairs, and led me forth. He was shabby and careless, with ink-stains on the sleeves of his jacket, and his cravat was large and billowy, under a chin shaped like the toe of an old boot. It was a little too early for the doctor, so I proposed a drink, and thereupon he developed a vein of joviality. As we sat over our vermouths he glorified the Company's business, and by-and-by I expressed casually my surprise at him not going out there. He became very cool and collected all at once. "I am not such a fool as I look, quoth Plato to his disciples," he said sententiously, emptied his glass with great resolution, and we rose.

'The old doctor felt my pulse, evidently thinking of something else the while. "Good, good for there," he mumbled, and then with a certain eagerness asked me whether I would let him measure my head. Rather surprised, I said Yes, when he produced a thing like calipers and got the dimensions back and front and every way, taking notes carefully. He was an unshaven little man in a threadbare coat like a gaberdine, with his feet in slippers, and I thought him a harmless fool. "I always ask leave, in the interests of science, to measure the crania of those going out there," he said. "And when they come back, too?" I asked. "Oh, I never see them," he remarked; "and,

devait bien y avoir des employés dans cette affaire, encore que l'immeuble fût aussi silencieux qu'une maison de la cité des morts –, descendit de l'étage supérieur et m'emmena avec lui. Il était miteux et négligé, les manches de sa veste étaient tachées d'encre, et sa lavallière bouillonnait sous un menton en vieille galoche. Comme il était un peu tôt pour aller voir le médecin, je lui proposai de prendre un verre, sur quoi son humeur se fit joviale. Pendant que nous étions attablés devant nos vermouths, il porta aux nues le travail de la Compagnie, et je ne tardai pas à laisser percer négligemment ma surprise de ne pas le voir aller là-bas. Il recouvra à l'instant tout son sang-froid. "Comme disait Platon à ses disciples, je ne suis pas si bête que j'en ai l'air", fit-il sentencieusement; il vida son verre avec une grande détermination, et nous nous levâmes.

« Le vieux docteur me tâta le pouls, tout en songeant manifestement à autre chose. "Bon, bon pour là-bas", marmonna-t-il, puis il me demanda avec une certaine ardeur si je lui permettrais de prendre les mesures de ma tête. Plutôt surpris, je dis oui; là-dessus il produisit une espèce de compas à calibrer et prit les dimensions derrière, devant, de tous côtés, qu'il releva avec soin. C'était un petit bonhomme barbu, au paletot élimé, chaussé de pantoufles, que je jugeai être un inoffensif imbécile. "Dans l'intérêt de la science, je demande toujours la permission de mesurer le crâne de ceux qui vont là-bas, dit-il. – Et quand ils reviennent, aussi ? demandai-je. – Oh, je ne les revois jamais, rétorqua-t-il; et puis,

moreover, the changes take place inside, you know." He smiled, as if at some quiet joke. "So you are going out there. Famous. Interesting, too." He gave me a searching glance, and made another note. "Ever any madness in your family?" he asked, in a matter-of-fact tone. I felt very annoyed. "Is that question in the interests of science, too?" "It would be," he said, without taking notice of my irritation, "interesting for science to watch the mental changes of individuals, on the spot, but..." "Are you an alienist?" I interrupted. "Every doctor should be – a little," answered that original, imperturbably. "I have a little theory which you Messieurs who go out there must help me to prove. This is my share in the advantages my country shall reap from the possession of such a magnificent dependency. The mere wealth I leave to others. Pardon my questions, but you are the first Englishman coming under my observation..." I hastened to assure him I was not in the least typical. "If I were," said I, "I wouldn't be talking like this with you." "What you say is rather profound, and probably erroneous," he said, with a laugh. "Avoid irritation more than exposure to the sun. Adieu. How do you English say, eh? Goodbye. Ah! Good-bye. Adieu. In the tropics one must before everything keep calm."... He lifted a warning forefinger... "*Du calme, du calme. Adieu.*"

'One thing more remained to do – say good-bye to my excellent aunt. I found her trium-

vous savez, c'est au-dedans que les changements se produisent." Il sourit, comme à une discrète plaisanterie. "Alors vous allez là-bas. Épatant. Et intéressant, avec ça." Il me jeta un regard pénétrant, et ajouta quelque chose à ses notes. "Jamais de cas de folie dans votre famille?" s'enquit-il d'un ton neutre. La moutarde me monta au nez. "Cette question-là, c'est aussi dans l'intérêt de la science? – Il serait intéressant pour la science, dit-il sans paraître remarquer mon irritation, d'observer les transformations mentales des individus sur place, mais… – Vous êtes aliéniste? l'interrompis-je. – Tout médecin devrait l'être tant soit peu, répondit imperturbablement cet original. J'ai une petite théorie que vous autres messieurs qui allez là-bas devez m'aider à vérifier. C'est ma part des bénéfices que mon pays ne manquera pas de tirer de sa souveraineté sur une si magnifique possession. Je laisse aux autres la simple richesse. Pardonnez-moi ces questions, mais vous êtes le premier Anglais à entrer dans mon champ d'observation…" Je m'empressai de l'assurer que je n'étais aucunement représentatif. "Si je l'étais, dis-je, je ne serais pas en train de bavarder comme ça avec vous. – Ce que vous dites là est assez profond, et probablement faux, fit-il en riant. Évitez l'irritation plus encore que l'exposition au soleil. Adieu. Comment dit-on chez vous, hein? *Goodbye*. Ah. *Goodbye*. Adieu. Sous les tropiques, il faut avant toute chose rester calme." Il souligna son avertissement d'un index solennel… "Du calme, du calme. Adieu."

« Il ne me restait plus qu'une chose à faire – dire au revoir à mon excellente tante. Je la trouvai triom-

phant. I had a cup of tea – the last decent cup of tea for many days – and in a room that most soothingly looked just as you would expect a lady's drawing-room to look, we had a long quiet chat by the fireside. In the course of these confidences it became quite plain to me I had been represented to the wife of the high dignitary, and goodness knows to how many more people besides, as an exceptional and gifted creature – a piece of good fortune for the Company – a man you don't get hold of every day. Good heavens! and I was going to take charge of a two-penny-half-penny river steamboat with a penny whistle attached! It appeared, however, I was also one of the Workers, with a capital – you know. Something like an emissary of light, something like a lower sort of apostle. There had been a lot of such rot let loose in print and talk just about that time, and the excellent woman, living right in the rush of all that humbug, got carried off her feet. She talked about "weaning those ignorant millions from their horrid ways," till, upon my word, she made me quite uncomfortable. I ventured to hint that the Company was run for profit.

'"You forget, dear Charlie, that the labourer is worthy of his hire," she said, brightly. It's queer how out of touch with truth women are. They live in a world of their own, and there had never been anything like it, and never can be.

phante. Elle m'offrit une tasse de thé – la dernière digne de ce nom avant longtemps – et, dans une pièce qui répondait de la façon la plus apaisante à l'image que l'on se fait du salon d'une femme du monde, nous bavardâmes longtemps, tranquillement, au coin du feu. Au fil de ces confidences, il m'apparut très clairement que l'on m'avait dépeint auprès de la femme d'un haut dignitaire, et de Dieu sait combien d'autres personnes encore, comme un être très doué, exceptionnel – une aubaine pour la Compagnie – un homme comme on n'en trouve pas tous les jours. Juste ciel! et j'allais prendre le commandement d'un vapeur fluvial de quatre sous, avec en prime un sifflet de deux sous! Je découvris cependant que j'étais aussi l'un des Bâtisseurs, avec un B majuscule – figurez-vous. Quelque chose comme un messager de la lumière, quelque chose comme un apôtre subalterne. Juste à cette époque-là, on avait répandu en abondance, par la parole et par l'écrit, ce genre de balivernes, et l'excellente femme, qui vivait au beau milieu de ce torrent de tartuferie, s'était laissé emporter. Elle parlait d'"arracher ces millions d'ignorants à leurs mœurs abominables", tant et si bien que, ma parole, elle finit par me mettre fort mal à l'aise. Je me hasardai à rappeler discrètement que la Compagnie avait pour objet de faire des bénéfices.

« "Vous oubliez, mon cher, que toute peine mérite salaire", dit-elle avec animation. Curieux, à quel point les relations entre les femmes et la vérité peuvent être distantes. Elles vivent dans un monde à elles, et il n'a jamais rien existé qui lui ressemble; et jamais il ne pourra y avoir rien de tel.

It is too beautiful altogether, and if they were to set it up it would go to pieces before the first sunset. Some confounded fact we men have been living contentedly with ever since the day of creation would start up and knock the whole thing over.

'After this I got embraced, told to wear flannel, be sure to write often, and so on – and I left. In the street – I don't know why – a queer feeling came to me that I was an impostor. Odd thing that I, who used to clear out for any part of the world at twenty-four hours' notice, with less thought than most men give to the crossing of a street, had a moment – I won't say of hesitation, but of startled pause, before this commonplace affair. The best way I can explain it to you is by saying that, for a second or two, I felt as though, instead of going to the centre of a continent, I were about to set off for the centre of the earth.

'I left in a French steamer, and she called in every blamed port they have out there, for, as far as I could see, the sole purpose of landing soldiers and custom-house officers. I watched the coast. Watching a coast as it slips by the ship is like thinking about an enigma. There it is before you – smiling, frowning, inviting, grand, mean, insipid, or savage, and always mute with an air of whispering. Come and find out.

C'est tout simplement trop beau, et si elles devaient le mettre sur pied, il s'effondrerait avant la fin du premier jour. L'une de ces fichues réalités dont nous autres, hommes, nous sommes accommodés depuis l'aube de la création surgirait et flanquerait tout par terre.

« Après quoi on me serra dans ses bras, m'enjoignit de porter une flanelle, de ne pas oublier d'écrire souvent, et ainsi de suite, et je partis. Une fois dans la rue – je ne sais pourquoi –, il me vint le sentiment bizarre que j'étais un imposteur. Il est singulier que moi, qui partais d'ordinaire pour n'importe quel point du globe avec vingt-quatre heures de préavis, sans y prêter plus d'attention que la plupart des gens pour gagner le trottoir d'en face, j'eus un moment – je ne dirai pas d'hésitation, mais de pause décontenancée avant cette histoire banale. Le mieux que je puisse dire pour vous faire comprendre, c'est que pendant une ou deux secondes j'eus l'impression, non pas de partir pour le centre d'un continent, mais d'être sur le point de me mettre en route pour le centre de la terre.

« Je fis la traversée à bord d'un vapeur français, et il relâcha dans chacun des sacrés ports qu'ils ont là-bas, avec l'unique dessein, autant que j'aie pu m'en rendre compte, de débarquer des soldats et des douaniers. Je regardais la côte. Regarder une côte, tandis qu'elle défile, le long du navire, c'est comme penser à une énigme. Elle est là, devant vous – souriante, revêche, accueillante, grandiose, médiocre, insipide ou sauvage, et toujours muette, avec l'air de chuchoter : "Viens donc me voir."

This one was almost featureless, as if still in the making, with an aspect of monotonous grimness. The edge of a colossal jungle, so dark-green as to be almost black, fringed with white surf, ran straight, like a ruled line, far, far away along a blue sea whose glitter was blurred by a creeping mist. The sun was fierce, the land seemed to glisten and drip with steam. Here and there greyish-whitish specks showed up clustered inside the white surf, with a flag flying above them perhaps. Settlements some centuries old, and still no bigger than pin-heads on the untouched expanse of their back-ground. We pounded along, stopped, landed soldiers; went on, landed custom-house clerks to levy toll in what looked like a God-forsaken wilderness, with a tin shed and a flag-pole lost in it; landed more soldiers – to take care of the custom-house clerks, presumably. Some, I heard, got drowned in the surf; but whether they did or not, nobody seemed particularly to care. They were just flung out there, and on we went. Every day the coast looked the same, as though we had not moved; but we passed various places – trading places – with names like Gran' Bassam, Little Popo; names that seemed to belong to some sor-did farce acted in front of a sinister back-cloth.

Celle-là n'avait presque pas de traits formés, comme si elle était encore inachevée, et offrait un aspect de monotonie sinistre. La lisière d'une jungle colossale, d'un vert si sombre qu'il en était quasiment noir, frangée d'une barre écumante, courait tout droit, comme tirée à la règle, à perte de vue le long d'une mer bleue dont l'éclat dur était tamisé par une brume rase. Le soleil était féroce, la terre semblait luire et ruisseler de vapeur. Çà et là, des points d'un blanc sale et grisâtre apparaissaient, groupés de l'autre côté de la barre blanche, avec peut-être un drapeau flottant au-dessus – des établissements vieux de quelques siècles, et toujours aussi insignifiants que des têtes d'épingle sur l'étendue intacte de l'arrière-pays. On avançait pesamment, on s'arrêtait, on débarquait des soldats; on allait plus loin, on débarquait des fonctionnaires des douanes pour percevoir des droits dans ce qui avait l'air d'un désert abandonné de Dieu, avec, perdus là-dedans, une cabane en tôle et un mât pour les couleurs; on débarquait d'autres soldats – pour veiller sur les fonctionnaires des douanes, sans doute. On m'a dit que certains se noyaient au passage de la barre; mais, vrai ou non, personne ne paraissait s'en soucier particulièrement. On les jetait simplement à terre, et on continuait son chemin. Chaque jour, la côte offrait le même aspect, comme si nous n'avions pas bougé; mais nous laissions derrière nous diverses localités – des comptoirs – avec des noms comme Grand-Bassam, Petit-Popo; des noms qui semblaient faire partie de quelque farce sordide représentée devant une toile de fond sinistre.

The idleness of a passenger, my isolation amongst all these men with whom I had no point of contact, the oily and languid sea, the uniform sombreness of the coast, seemed to keep me away from the truth of things, within the toil of a mournful and senseless delusion. The voice of the surf now and then was a positive pleasure, like the speech of a brother. It was something natural, that had its reason, that had a meaning. Now and then a boat from the shore gave one a momentary contact with reality. It was paddled by black fellows. You could see from afar the white of their eyeballs glistening. They shouted, sang; their bodies streamed with perspiration; they had faces like grotesque masks – these chaps; but they had bone, muscle, a wild vitality, an intense energy of movement, that was as natural and true as the surf along their coast. They wanted no excuse for being there. They were a great comfort to look at. For a time I would feel I belonged still to a world of straight-forward facts; but the feeling would not last long. Something would turn up to scare it away. Once, I remember, we came upon a man-of-war anchored off the coast. There wasn't even a shed there, and she was shelling the bush. It appears the French had one of their wars going on thereabouts. Her ensign dropped limp like a rag; the muzzles of the long six-inch guns stuck out all over the low hull;

L'oisiveté du passager, ma solitude parmi tous ces hommes avec qui je n'avais rien de commun, la mer huileuse et molle, la ténébreuse uniformité de la côte, tout cela paraissait me maintenir à distance de la vérité des choses, dans les rets d'une hallucination funèbre et absurde. C'était un vrai plaisir que d'entendre de temps à autre, comme la parole d'un frère, la voix de la barre. C'était quelque chose de naturel, qui avait sa raison d'être, qui avait un sens. Parfois, un canot venu de la côte vous donnait un bref contact avec la réalité. Les pagayeurs étaient des Noirs. On voyait de loin luire le blanc de leurs yeux. Ils criaient, chantaient ; leur corps ruisselait de sueur ; ils avaient des visages taillés comme des masques grotesques, les bougres ; mais ils avaient des os, des muscles, une vitalité sans frein, une intense énergie de mouvement qui était aussi naturelle et vraie que la barre qui déferle le long de leur rivage. Leur présence se passait de toute justification. Les regarder m'était d'un grand réconfort. J'avais pendant un moment l'impression d'appartenir encore à un monde de réalités sans équivoque ; mais elle ne durait pas longtemps. Il survenait toujours quelque chose pour la mettre en déroute. Une fois, je me souviens, nous sommes tombés sur un navire de guerre ancré au large de la côte. Il n'y avait pas même une cabane en vue, et il bombardait la brousse. Il faut croire que les Français menaient dans le secteur une de ces guerres dont ils ont le secret. Son pavillon pendait comme une chiffe : sur toute la surface de sa coque basse, les longues pièces de 155 dardaient leur gueule ; la

the greasy, slimy swell swung her up lazily and let her down, swaying her thin masts. In the empty immensity of earth, sky, and water, there she was, incomprehensible, firing into a continent. Pop, would go one of the six-inch guns; a small flame would dart and vanish, a little white smoke would disappear, a tiny projectile would give a feeble screech – and nothing happened. Nothing could happen. There was a touch of insanity in the proceeding, a sense of lugubrious drollery in the sight; and it was not dissipated by somebody on board assuring me earnestly there was a camp of natives – he called them enemies! – hidden out of sight somewhere.

'We gave her her letters (I heard the men in that lonely ship were dying of fever at the rate of three a-day) and went on. We called at some more places with farcical names, where the merry dance of death and trade goes on in a still and earthy atmosphere as of an overheated catacomb; all along the formless coast bordered by dangerous surf, as if Nature herself had tried to ward off intruders; in and out of rivers, streams of death in life, whose banks were rotting into mud, whose waters, thickened into slime, invaded the contorted mangroves, that seemed to writhe at us in the extremity of an impotent despair.

houle grasse et visqueuse le soulevait paresseusement et le laissait retomber, imprimant un mouvement de balancier à sa fine mâture. Dans l'immensité vide de la terre, du ciel et de l'eau, il était là, incompréhensible, à faire feu sur un continent. Boum, faisait l'un des canons de 155 ; une petite flamme jaillissait et disparaissait, un peu de fumée blanche se dissipait, un minuscule projectile miaulait faiblement, et rien ne se produisait. Il ne pouvait rien se produire. Il y avait une touche de démence dans tout le processus, une impression de cocasserie lugubre dans ce spectacle ; et elle ne s'estompa pas précisément lorsque quelqu'un du bord m'assura d'un ton pénétré qu'il y avait un campement d'indigènes – il les appela des "ennemis" ! – dissimulé quelque part.

« Nous donnâmes son courrier à ce navire solitaire (j'appris que les hommes y mouraient de fièvre à la cadence de trois par jour), et poursuivîmes notre route. Nous fîmes encore escale dans d'autres ports au nom grotesque, où le manège du commerce et de la mort continue de tourner dans une atmosphère immobile, aux relents de terre, qui fait penser à des catacombes surchauffées ; nous avancions tout au long de cette côte informe bordée par une barre périlleuse, comme si la Nature elle-même avait tenté de tenir les intrus à distance ; nous montions et redescendions des estuaires où coulait la mort dans la vie, dont les berges pourrissantes tournaient en boue, dont les eaux, s'épaississant en vase, envahissaient les palétuviers convulsés qui semblaient nous menacer de leurs membres tordus dans le paroxysme d'un désespoir impuissant.

Nowhere did we stop long enough to get a particularized impression, but the general sense of vague and oppressive wonder grew upon me. It was like a weary pilgrimage amongst hints for nightmares.

'It was upward of thirty days before I saw the mouth of the big river. We anchored off the seat of the government. But my work would not begin till some two hundred miles farther on. So as soon as I could I made a start for a place thirty miles higher up.

'I had my passage on a little sea-going steamer. Her captain was a Swede, and knowing me for a seaman, invited me on the bridge. He was a young man, lean, fair, and morose, with lanky hair and a shuffling gait. As we left the miserable little wharf, he tossed his head contemptuously at the shore. "Been living there?" he asked. I said, "Yes." "Fine lot these government chaps – are they not?" he went on, speaking English with great precision and considerable bitterness. "It is funny what some people will do for a few francs a-month. I wonder what becomes of that kind when it goes up country?" I said to him I expected to see that soon. "So-o-o!" he exclaimed. He shuffled athwart, keeping one eye ahead vigilantly. "Don't be too sure," he continued. "The other day I took up a man who hanged himself on the road. He was a Swede, too."

Nulle part nous ne relâchâmes assez longtemps pour avoir une impression détaillée, mais un sentiment général d'étonnement vague et oppressant m'envahit de plus en plus. Cela ressemblait à un pèlerinage épuisant parmi des lambeaux de cauchemars.

«Ce n'est qu'au bout de plus de trente jours que je découvris l'embouchure du grand fleuve. Nous mouillâmes au droit du siège du gouvernement. Mais mon travail ne devait commencer qu'à quelque deux cents milles en amont. Aussi, dès qu'il me fut possible, je partis pour un endroit situé trente milles plus haut.

«Je fis le trajet à bord d'un petit vapeur de haute mer. Il était commandé par un Suédois qui, sachant que j'étais marin, m'invita sur la passerelle. C'était un jeune homme maigre, blond et morose, aux cheveux plats et à la démarche traînante. Comme nous quittions le misérable petit quai, il montra la rive d'un mouvement de tête méprisant. "Vous êtes arrêté là? demanda-t-il. – Oui, fis-je. – Une fine équipe, ces types du gouvernement, n'est-ce pas? poursuivit-il, articulant son anglais avec une grande précision et une amère violence. Bizarre, ce que certains sont prêts à faire pour quelques francs par mois. Je me demande ce que cette espèce-là peut bien donner quand elle va dans l'intérieur!" Je lui dis que je comptais le découvrir sous peu. "Tiens, tiens!" s'exclama-t-il. Il traversa la passerelle de son pas traînant, un œil vigilant fixé sur le cap. "Ne soyez pas trop sûr de vous, poursuivit-il. L'autre jour, j'ai embarqué un homme qui s'est pendu en route. Lui aussi était suédois.

"Hanged himself! Why, in God's name?" I cried. He kept on looking out watchfully. "Who knows? The sun too much for him, or the country perhaps."

'At last we opened a reach. A rocky cliff appeared, mounds of turned-up earth by the shore, houses on a hill, others with iron roofs, amongst a waste of excavations, or hanging to the declivity. A continuous noise of the rapids above hovered over this scene of inhabited devastation. A lot of people, mostly black and naked, moved about like ants. A jetty projected into the river. A blinding sunlight drowned all this at times in a sudden recrudescence of glare. "There's your Company's station," said the Swede, pointing to three wooden barrack-like structures on the rocky slope. "I will send your things up. Four boxes did you say? So. Farewell."

'I came upon a boiler wallowing in the grass, then found a path leading up the hill. It turned aside for the boulders, and also for an undersized railway-truck lying there on its back with its wheels in the air. One was off. The thing looked as dead as the carcass of some animal. I came upon more pieces of decaying machinery, a stack of rusty rails. To the left a clump of trees made a shady spot, where dark things seemed to stir feebly. I blinked, the path was steep. A horn tooted to the right, and

– Qui s'est pendu! Mais pourquoi, au nom du ciel?" m'écriai-je. Il continuait de faire bon quart. "Qui sait? Il n'a pas supporté le soleil, ou le pays, peut-être."

«Nous finîmes par déboucher sur une ligne droite. Une falaise rocheuse parut, des monceaux de déblais près de la berge, des maisons sur une colline, d'autres au toit de tôle parmi des terrains vagues bouleversés par des excavations, ou accrochées à la pente. Le bruit incessant des rapides situés en amont planait au-dessus de cette scène de dévastation habitée. Des hommes en foule, noirs et nus pour la plupart, allaient et venaient comme des fourmis. Une jetée s'avançait dans le fleuve. Un soleil aveuglant noyait par moments tout cela dans une brusque recrudescence de lumière insoutenable. "Voilà le poste de votre Compagnie, dit le Suédois en désignant trois édifices de bois, d'allure militaire, sur la pente rocheuse. Je ferai monter vos affaires. Quatre cantines, avez-vous dit? Entendu. Adieu."

«Je rencontrai une chaudière vautrée dans l'herbe, puis trouvai un sentier qui montait la colline. Il décrivait des courbes pour éviter des blocs de rocher, et aussi un petit wagon de marchandises qui gisait sur le dos, les roues en l'air. Il en manquait une. La chose paraissait aussi morte qu'un cadavre de bête. Je rencontrai d'autres pièces mécaniques en décrépitude, un amoncellement de rails mangés de rouille. Sur ma gauche, un bouquet d'arbres faisait une tache d'ombre, où des êtres obscurs semblaient vaguement remuer. Je cillai, le sentier était raide. Une corne mugit sur ma droite, et

I saw the black people run. A heavy and dull detonation shook the ground, a puff of smoke came out of the cliff, and that was all. No change appeared on the face of the rock. They were building a railway. The cliff was not in the way or anything; but this objectless blasting was all the work going on.

'A slight clinking behind me made me turn my head. Six black men advanced in a file, toiling up the path. They walked erect and slow, balancing small baskets full of earth on their heads, and the clink kept time with their footsteps. Black rags were wound round their loins, and the short ends behind waggled to and fro like tails. I could see every rib, the joints of their limbs were like knots in a rope; each had an iron collar on his neck, and all were connected together with a chain whose bights swung between them, rhythmically clinking. Another report from the cliff made me think suddenly of that ship of war I had seen firing into a continent. It was the same kind of ominous voice; but these men could by no stretch of imagination be called enemies. They were called criminals, and the outraged law, like the bursting shells, had come to them, an insoluble mystery from the sea. All their meagre breasts panted together, the violently dilated nostrils quivered, the eyes stared stonily uphill. They passed me within six inches, without a glance, with that complete,

74

je vis les Noirs qui couraient. Une forte et sourde détonation fit trembler le sol, un petit nuage de fumée rond se détacha de la falaise, et ce fut tout. La paroi rocheuse n'offrait aucune transformation visible. On construisait un chemin de fer. La falaise ne gênait pas du tout son passage, mais c'est à ce tir de mines sans objet que se réduisaient les travaux en cours.

« Un léger tintement de métal, derrière moi, me fit tourner la tête. Six Noirs avançaient à la file, montant péniblement le sentier. Ils marchaient lentement, très droits, gardant en équilibre sur la tête de petits couffins emplis de terre, et le tintement rythmait leurs pas. Un chiffon noir leur ceignait les reins, et ses pans, noués derrière, se balançaient comme des queues de chien. Je voyais chacune de leurs côtes, les articulations de leurs membres saillaient comme les nœuds d'un cordage ; chacun avait au cou un collier de fer, et ils étaient tous reliés par une chaîne dont les ballants oscillaient entre eux, et cliquetaient en mesure. Une autre détonation venue de la falaise me remit soudain à l'esprit ce navire de guerre que j'avais vu canonner un continent. C'était le même genre de voix menaçante ; mais l'imagination la plus dévergondée ne pouvait appeler ennemis ces hommes-ci. On les appelait criminels, et la loi outragée s'abattait sur eux comme les obus qui explosaient – un mystère insoluble venu de la mer. Leurs maigres poitrines haletaient toutes ensemble, les narines violemment dilatées frémissaient, leurs yeux restaient fixés devant eux, sur la pente. Ils passèrent à six pouces de moi, sans un regard, avec cette totale

deathlike indifference of unhappy savages. Behind this raw matter one of the reclaimed, the product of the new forces at work, strolled despondently, carrying a rifle by its middle. He had a uniform jacket with one button off, and seeing a white man on the path, hoisted his weapon to his shoulder with alacrity. This was simple prudence, white men being so much alike at a distance that he could not tell who I might be. He was speedily reassured, and with a large, white, rascally grin, and a glance at his charge, seemed to take me into partnership in his exalted trust. After all, I also was a part of the great cause of these high and just proceedings.

'Instead of going up, I turned and descended to the left. My idea was to let that chain-gang get out of sight before I climbed the hill. You know I am not particularly tender; I've had to strike and to fend off. I've had to resist and to attack sometimes – that's only one way of resisting – without counting the exact cost, according to the demands of such sort of life as I had blundered into. I've seen the devil of violence, and the devil of greed, and the devil of hot desire; but, by all the stars! these were strong, lusty, red-eyed devils, that swayed and drove men – men, I tell you. But as I stood on this hillside, I foresaw that in the blinding sunshine of that land I would become acquainted with

indifférence, semblable à la mort, qui est celle des sauvages quand ils sont malheureux. Derrière cette matière première, l'un des ex-barbares, produit des forces nouvelles à l'œuvre, marchait d'un pas morne, portant son fusil par le milieu. Il avait une vareuse d'uniforme, à laquelle manquait un bouton, et, voyant un Blanc sur le chemin, il hissa son arme sur l'épaule avec empressement. Simple prudence, les Blancs se ressemblant tellement vus de loin qu'il ne pouvait pas discerner qui j'étais au juste. Il fut promptement rassuré, et d'un large sourire éclatant et canaille et avec un coup d'œil à ceux dont il avait la garde, il parut m'associer à son exaltante mission. Moi aussi, après tout, j'étais au service de la noble cause de ces mesures de haute justice.

« Au lieu de continuer à monter, je tournai et descendis vers la gauche. Mon idée était de laisser cette équipe d'enchaînés disparaître avant de gravir la colline. Vous savez que je ne suis pas particulièrement tendre. Il m'a fallu donner des coups et en esquiver. Il m'a fallu me défendre et attaquer parfois – ce n'est qu'une façon de se défendre – sans trop calculer les risques, selon les exigences du mode de vie dans lequel j'étais sottement allé me fourrer. J'ai vu le démon de la violence, et le démon de l'avidité, et le démon du désir brûlant, mais, par tous les dieux du ciel ! c'étaient des démons pleins de force et d'énergie, à l'œil de feu, qui dominaient et menaient des hommes – des hommes, vous dis-je. Mais là, sur ce flanc de colline, j'eus la prémonition que, sous le soleil aveuglant de cette contrée, je ferais la connaissance du

a flabby, pretending, weak-eyed devil of a rapacious and pitiless folly. How insidious he could be, too, I was only to find out several months later and a thousand miles farther. For a moment I stood appalled, as though by a warning. Finally I descended the hill, obliquely, towards the trees I had seen.

'I avoided a vast artificial hole somebody had been digging on the slope, the purpose of which I found it impossible to divine. It wasn't a quarry or a sandpit, anyhow. It was just a hole. It might have been connected with the philanthropic desire of giving the criminals something to do. I don't know. Then I nearly fell into a very narrow ravine, almost no more than a scar in the hillside. I discovered that a lot of imported drainage-pipes for the settlement had been tumbled in there. There wasn't one that was not broken. It was a wanton smash-up. At last I got under the trees. My purpose was to stroll into the shade for a moment; but no sooner within than it seemed to me I had stepped into the gloomy circle of some Inferno. The rapids were near, and an uninterrupted, uniform, headlong, rushing noise filled the mournful stillness of the grove, where not a breath stirred, not a leaf moved, with a mysterious sound –

démon avachi, hypocrite, au regard fuyant, d'une sottise rapace et sans pitié. À quel point il pouvait aussi être perfide, je ne devais le découvrir que plusieurs mois après et mille milles plus loin. Pendant un moment je restai épouvanté, comme sous le coup d'un avertissement. En fin de compte, je descendis la colline, en coupant vers les arbres que j'avais vus.

« Je contournai une énorme excavation que l'on avait creusée à flanc de coteau, dans un dessein qu'il me parut impossible de deviner. Ce n'était pas une carrière, en tout cas, ni une sablière. C'était simplement un trou. Il n'est pas exclu qu'il ait eu un rapport avec le désir philanthropique de donner quelque chose à faire aux criminels. Je n'en sais rien. Puis je manquai choir dans un ravin très étroit, à peine plus qu'une saignée dans la pente de la colline. Je m'aperçus qu'on y avait jeté en vrac une quantité de tuyaux d'évacuation des eaux usées, importés tout exprès pour l'établissement. Il n'y en avait pas un qui ne fût brisé. C'était un jeu de massacre délibéré. J'arrivai enfin sous les arbres. Mon intention était d'y venir chercher de l'ombre un moment ; mais à peine y fus-je entré qu'il me sembla que j'avais porté mes pas dans le cercle ténébreux de quelque *Inferno*[1]. Les rapides étaient proches, et le fracas ininterrompu et uniforme des eaux précipitées remplissait la lugubre immobilité du bosquet, où l'on n'entendait pas un souffle, pas le frémissement d'une feuille, d'un son mystérieux –

1. Allusion à *La Divine Comédie* de Dante.

as though the tearing pace of the launched earth had suddenly become audible.

'Black shapes crouched, lay, sat between the trees leaning against the trunks, clinging to the earth, half coming out, half effaced within the dim light, in all the attitudes of pain, abandonment, and despair. Another mine on the cliff went off, followed by a slight shudder of the soil under my feet. The work was going on. The work! And this was the place where some of the helpers had withdrawn to die.

'They were dying slowly – it was very clear. They were not enemies, they were not criminals, they were nothing earthly now, – nothing but black shadows of disease and starvation, lying confusedly in the greenish gloom. Brought from all the recesses of the coast in all the legality of time contracts, lost in uncongenial surroundings, fed on unfamiliar food, they sickened, became inefficient, and were then allowed to crawl away and rest. These moribund shapes were free as air – and nearly as thin. I began to distinguish the gleam of the eyes under the trees. Then, glancing down, I saw a face near my hand. The black bones reclined at full length with one shoulder against the tree, and slowly the eyelids rose and the sunken eyes looked up at me, enormous and vacant, a kind of blind, white flicker in the depths of the orbs, which

comme si la vitesse folle de la terre sur son orbite était soudain devenue audible.

« Des formes noires étaient recroquevillées, couchées ou assises entre les arbres, appuyées à leur tronc, s'agrippant à la terre, à demi soulignées, à demi estompées dans la lumière indécise, selon toutes les attitudes de la souffrance, de l'abdication et du désespoir. Un autre tir de mine retentit sur la falaise, suivi d'un léger frisson du sol sous mes pieds. L'ouvrage se poursuivait. L'ouvrage ! Et c'était ici le lieu où quelques-uns de ses auxiliaires s'étaient retirés pour mourir.

« Ils mouraient à petit feu – c'était très clair. Ce n'étaient point des ennemis, ce n'étaient point des criminels, ce n'était plus rien de ce monde-ci désormais – plus rien que des ombres noires de maladie et d'inanition, gisant pêle-mêle dans l'ombre verdâtre. Amenés de tous les recoins de la côte, dans toute la légalité de contrats temporaires, perdus dans un cadre hostile, nourris d'aliments auxquels ils n'étaient pas accoutumés, ils dépérissaient, perdaient leur capacité de travail, et avaient alors le droit de s'éloigner en rampant et de se reposer. Ces silhouettes moribondes étaient libres comme l'air, et presque aussi ténues. Je commençai à distinguer des yeux qui luisaient faiblement sous les arbres. Puis, abaissant mon regard, je vis près de ma main un visage. Le squelette noir gisait de tout son long, une épaule contre l'arbre, et les paupières s'ouvrirent doucement, laissant monter jusqu'à moi le regard des yeux enfoncés, immenses et atones, une sorte de bref éclat blanc et aveugle dans la profondeur des orbites, qui

died out slowly. The man seemed young – almost a boy – but you know with them it's hard to tell. I found nothing else to do but to offer him one of my good Swede's ship's biscuits I had in my pocket. The fingers closed slowly on it and held – there was no other movement and no other glance. He had tied a bit of white worsted round his neck – Why? Where did he get it? Was it a badge – an ornament – a charm – a propitiatory act? Was there any idea at all connected with it? It looked startling round his black neck, this bit of white thread from beyond the seas.

'Near the same tree two more bundles of acute angles sat with their legs drawn up. One, with his chin propped on his knees, stared at nothing, in an intolerable and appalling manner: his brother phantom rested its forehead, as if overcome with a great weariness; and all about others were scattered in every pose of contorted collapse, as in some picture of a massacre or a pestilence. While I stood horror-struck, one of these creatures rose to his hands and knees, and went off on all-fours towards the river to drink. He lapped out of his hand, then sat up in the sunlight, crossing his shins in front of him, and after a time let his woolly head fall on his breastbone.

'I didn't want any more loitering in the shade, and I made haste towards the station. When near the buildings I met a white man,

s'éteignit doucement. L'homme semblait jeune – un adolescent presque – mais, vous savez, chez eux c'est difficile à dire. Je ne trouvai rien d'autre à faire que de lui tendre un des biscuits de mer que j'avais en poche, cadeau de mon bon Suédois. Les doigts se refermèrent dessus doucement et le tinrent – il n'y eut pas d'autre mouvement ni d'autre regard. Il s'était noué un brin de laine blanc autour du cou – pourquoi ? Où se l'était-il procuré ? Était-ce un insigne – un ornement – une amulette – un acte propitiatoire ? Avait-il seulement une quelconque signification ? Il faisait un effet surprenant autour de son cou noir, ce bout de fil blanc venu d'au-delà des mers.

« Près du même arbre, deux autres paquets d'angles aigus étaient assis, les jambes ramenées près du corps. L'un, le menton reposant sur les genoux, fixait le vide, d'une façon intolérable, épouvantable : c'est le front qu'appuyait, comme vaincu par une grande lassitude, son fantôme jumeau ; et d'autres gisaient de toutes parts, en une variété infinie de postures de prostration convulsée, ainsi qu'en un tableau figurant un massacre ou une épidémie de peste. Tandis que je demeurais là, frappé d'horreur, l'une de ces créatures se dressa sur les mains et les genoux, et partit vers le fleuve à quatre pattes pour boire. Il lapa l'eau dans sa main, puis s'assit au soleil, les tibias croisés devant lui, et laissa au bout d'un moment sa tête laineuse tomber sur son sternum.

« Je n'avais plus aucune envie de m'attarder à l'ombre, et repris à la hâte le chemin du poste. Arrivé près des bâtiments, je rencontrai un Blanc,

in such an unexpected elegance of get-up that in the first moment I took him for a sort of vision. I saw a high starched collar, white cuffs, a light alpaca jacket, snowy trousers, a clear necktie, and varnished boots. No hat. Hair parted, brushed, oiled, under a greenlined parasol held in a big white hand. He was amazing, and had a penholder behind his ear.

'I shook hands with this miracle, and I learned he was the Company's chief accountant, and that all the book-keeping was done at this station. He had come out for a moment, he said, "to get a breath of fresh air." The expression sounded wonderfully odd, with its suggestion of sedentary desk-life. I wouldn't have mentioned the fellow to you at all, only it was from his lips that I first heard the name of the man who is so indissolubly connected with the memories of that time. Moreover, I respected the fellow. Yes; I respected his collars, his vast cuffs, his brushed hair. His appearance was certainly that of a hairdresser's dummy; but in the great demoralization of the land he kept up his appearance. That's backbone. His starched collars and got-up shirt-fronts were achievements of character. He had been out nearly three years; and later, I could not help asking him how he managed to sport such linen. He had just the faintest blush, and said modestly, "I've been teaching one of the native women about the station. It was difficult.

accoutré avec une élégance si inattendue que je le pris d'abord pour une sorte de vision. Je découvris un haut col empesé, des manchettes blanches, une légère veste d'alpaga, un pantalon de neige, une cravate claire, et des bottines vernies. Point de chapeau. Les cheveux séparés par une raie, brossés et pommadés sous le parasol doublé de vert que tenait une grosse main blanche. Il était stupéfiant, et avait un porte-plume derrière l'oreille.

« Je serrai la main de ce miracle, et appris qu'il était le chef comptable de la Compagnie, et que c'est dans ce poste que se faisait toute la tenue des livres. Il était sorti un moment, me dit-il, "pour respirer un peu d'air pur". L'expression paraissait extraordinairement bizarre, par son allusion à une vie sédentaire de plumitif. Je ne vous aurais même pas soufflé mot de cet individu, n'était que c'est de sa bouche que j'entendis pour la première fois le nom de l'homme qui est lié de manière tellement indissoluble aux souvenirs de cette époque. Et puis, je respectais ce gaillard. Oui ; je respectais ses cols, ses énormes manchettes, ses cheveux bien brossés. Certes, il ressemblait à un mannequin de coiffeur ; mais dans la débâcle morale du pays il prenait soin de son apparence. Cela, c'est du caractère. Ses cols amidonnés et ses plastrons de chemise bien repassés étaient des victoires de la volonté. Il avait quitté la métropole depuis près de trois ans ; et, par la suite, je ne pus m'empêcher de lui demander comment il se débrouillait pour arborer un linge pareil. Une légère rougeur lui monta au front, et il dit, modeste : "J'ai appris à une femme indigène du poste. Ç'a été difficile.

She had a distaste for the work." Thus this man had verily accomplished something. And he was devoted to his books, which were in apple-pie order.

'Everything else in the station was in a muddle – heads, things, buildings. Strings of dusty niggers with splay feet arrived and departed; a stream of manufactured goods, rubbishy cottons, beads, and brass wire sent into the depths of darkness, and in return came a precious trickle of ivory.

'I had to wait in the station for ten days – an eternity. I lived in a hut in the yard, but to be out of the chaos I would sometimes get into the accountant's office. It was built of horizontal planks, and so badly put together that, as he bent over his high desk, he was barred from neck to heels with narrow strips of sunlight. There was no need to open the big shutters to see. It was hot there, too; big flies buzzed fiendishly, and did not sting, but stabbed. I sat generally on the floor, while, of faultless appearance (and even slightly scented), perching on a high stool, he wrote. Sometimes he stood up for exercise. When a truckle-bed with a sick man (some invalid agent from up-country) was put in there, he exhibited a gentle annoyance. "The groans of this sick person," he said, "distract my attention. And without that it is extremely difficult to guard against clerical errors in this climate."

Elle n'aimait pas du tout ce travail." Ainsi, cet homme avait réellement accompli quelque chose. Et il était tout dévoué à ses livres, qui étaient tenus de façon irréprochable.

« Tout le reste, dans ce poste, était en pagaille – les cervelles, les choses, les bâtiments. Des files de Nègres poussiéreux, aux pieds plats, s'en venaient et s'en allaient ; un flot d'articles manufacturés, cotonnades de piètre qualité, verroterie, fil de laiton, partait pour les profondeurs des ténèbres, et en retour arrivait un précieux petit filet d'ivoire.

« Il me fallut attendre dix jours dans ce poste – une éternité. J'habitais une case dans la cour, mais, pour échapper au chaos, j'allais de temps à autre dans le bureau du comptable. Il était bâti de madriers horizontaux, si mal assemblés que, lorsqu'il se penchait au-dessus de son bureau élevé, il était zébré de la nuque aux talons d'étroits rais de soleil. Point n'était besoin, pour y voir, d'ouvrir le gros volet. Il y régnait aussi une chaleur forte ; de grosses mouches bourdonnaient comme des furies. Elles ne vous piquaient pas, elles vous poignardaient. Je restais généralement assis par terre, alors que lui, tiré à quatre épingles (et même discrètement parfumé), perché sur un haut tabouret, écrivait encore, écrivait toujours. Parfois il se levait, pour prendre un peu d'exercice. Lorsqu'on installa dans ce bureau un lit de camp occupé par un malade (quelque agent invalide descendu de l'intérieur du pays), il manifesta une contrariété sans éclats. "Les gémissements de ce malade, dit-il, distraient mon attention. Et, sans elle, il est extrêmement difficile, dans ce climat, de se prémunir contre les erreurs d'écritures."

'One day he remarked, without lifting his head, "In the interior you will no doubt meet Mr Kurtz." On my asking who Mr Kurtz was, he said he was a first-class agent; and seeing my disappointment at this information, he added slowly, laying down his pen, "He is a very remarkable person." Further questions elicited from him that Mr Kurtz was at present in charge of a trading post, a very important one, in the true ivory-country, at "the very bottom of there. Sends in as much ivory as all the others put together…" He began to write again. The sick man was too ill to groan. The flies buzzed in a great peace.

'Suddenly there was a growing murmur of voices and a great tramping of feet. A caravan had come in. A violent babble of uncouth sounds burst out on the other side of the planks. All the carriers were speaking together, and in the midst of the uproar the lamentable voice of the chief agent was heard "giving it up" tearfully for the twentieth time that day… He rose slowly. "What a frightful row," he said. He crossed the room gently to look at the sick man, and returning, said to me, "He does not hear." "What! Dead?" I asked, startled. "No, not yet," he answered, with great composure. Then, alluding with a toss of the head to the tumult in the station yard. "When one has got to make correct entries, one comes to hate those savages – hate them to the death." He remained thoughtful for a moment. "When you see Mr Kurtz," he went on,

«Un jour, il déclara, sans lever la tête : "Dans l'intérieur, vous rencontrerez sûrement M. Kurtz." Comme je lui demandais qui était M. Kurtz, il me dit que c'était un agent de premier ordre ; et, me voyant déçu par cette information, il ajouta lentement, en posant sa plume : "C'est quelqu'un de très remarquable." D'autres questions lui arrachèrent que M. Kurtz était actuellement à la tête d'un comptoir, un poste très important, dans le vrai pays de l'ivoire, "au fin fond de l'intérieur. Il envoie autant d'ivoire que tous les autres réunis…". Il se remit à écrire. Le malade était trop mal en point pour gémir. Les mouches bourdonnaient dans une grande paix.

«Soudain, un murmure de voix s'enfla, il y eut un grand bruit de piétinement. Une caravane était arrivée. Un tintamarre confus de sons insolites éclata de l'autre côté des madriers. Les porteurs parlaient tous en même temps, et l'on entendit au milieu du vacarme la voix lamentable de l'agent principal qui, geignard, "y renonçait" pour la vingtième fois de cette journée… Le comptable se leva lentement. "Quel boucan terrible", dit-il. Il traversa la pièce sans bruit pour aller voir le malade, et, revenant sur ses pas, me dit : "Il n'entend pas. – Quoi ! Il est mort ? demandai-je dans un sursaut. – Non, pas encore", répondit-il avec équanimité. Puis, désignant d'un mouvement de la tête le tumulte de la cour : "Quand on doit passer des écritures correctes, on en vient à haïr ces sauvages – à leur vouer une haine mortelle." Il resta un moment plongé dans ses pensées. "Quand vous verrez M. Kurtz, poursuivit-il,

"tell him from me that everything here" – he glanced at the desk – "is very satisfactory. I don't like to write to him – with those messengers of ours you never know who may get hold of your letter – at that Central Station." He stared at me for a moment with his mild, bulging eyes. "Oh, he will go far, very far," he began again. "He will be a somebody in the Administration before long. They, above – the Council in Europe, you know – mean him to be."

'He turned to his work. The noise outside had ceased, and presently in going out I stopped at the door. In the steady buzz of flies the homeward-bound agent was lying flushed and insensible; the other, bent over his books, was making correct entries of perfectly correct transactions; and fifty feet below the doorstep I could see the still tree-tops of the grove of death.

'Next day I left that station at last, with a caravan of sixty men, for a two-hundred-mile tramp.

'No use telling you much about that. Paths, paths, everywhere; a stamped-in network of paths spreading over the empty land, through long grass, through burnt grass, through thickets, down and up chilly ravines, up and down stony hills ablaze with heat; and a solitude, a solitude, nobody, not a hut. The population had cleared out a long time ago. Well, if a lot of mysterious niggers armed with all kinds of fearful weapons

dites-lui de ma part que tout ici" – il lança un bref
coup d'œil à son bureau – "marche très bien. Je
n'aime pas lui écrire – avec les courriers que nous
avons, on ne sait jamais en quelles mains les lettres
peuvent atterrir – au Poste central". Il me fixa pendant un moment de ses yeux globuleux et doux.
"Oh, il ira loin, très loin, reprit-il. Ce sera
quelqu'un dans l'Administration avant longtemps.
C'est à ça qu'on le destine en haut lieu – vous
savez, le Conseil, en Europe."

«Il se remit au travail. Dehors, le bruit avait
cessé, et bientôt je sortis, non sans m'arrêter un instant sur le seuil. Dans le bourdonnement régulier
des mouches, l'agent que l'on rapatriait gisait, le
visage empourpré, sans connaissance; l'autre, pen-
ché sur ses livres, passait des écritures correctes de
transactions parfaitement correctes; et à cinquante
pieds au-dessous du pas de la porte, je voyais le
faîte immobile des arbres du bosquet de la mort.

«Le lendemain, je quittai enfin ce poste, avec
une caravane de soixante hommes, pour une
marche de deux cents milles.

«Inutile de beaucoup m'étendre là-dessus. Des
pistes, des pistes partout; un réseau de pistes tra-
cées par le piétinement, qui s'étendait sur tout ce
territoire vide, par la savane, par les brûlis, par les
taillis, descendant et escaladant les parois des
ravins où l'on grelottait, escaladant et redescen-
dant des collines pierreuses incendiées de chaleur; et une solitude, une solitude, personne, pas
une cabane. La population avait déguerpi depuis
longtemps. Ma foi, si une bande de Nègres mystérieux équipés de toutes sortes d'armes redoutables

91

suddenly took to travelling on the road between Deal and Gravesend, catching the yokels right and left to carry heavy loads for them, I fancy every farm and cottage thereabouts would get empty very soon. Only here the dwellings were gone, too. Still I passed through several abandoned villages. There's something pathetically childish in the ruins of grass walls. Day after day, with the stamp and shuffle of sixty pair of bare feet behind me, each pair under a 60-lb. load. Camp, cook, sleep, strike camp, march. Now and then a carrier dead in harness, at rest in the long grass near the path, with an empty water-gourd and his long staff lying by his side. A great silence around and above. Perhaps on some quiet night the tremor of far-off drums, sinking, swelling, a tremor vast, faint; a sound weird, appealing, suggestive, and wild – and perhaps with as profound a meaning as the sound of bells in a Christian country. Once a white man in an unbuttoned uniform, camping on the path with an armed escort of lank Zanzibaris, very hospitable and festive – not to say drunk. Was looking after the upkeep of the road, he declared. Can't say I saw any road or any upkeep, unless

se mettaient tout à coup à emprunter la route de Deal à Gravesend[1], attrapant à droite et à gauche des rustres pour en faire leurs bêtes de somme, j'imagine que toutes les fermes et maisonnettes des parages auraient tôt fait de se vider. Mais ici, les habitations aussi avaient disparu. Je traversai cependant plusieurs villages abandonnés. Il y a quelque chose de pathétiquement puéril dans des murs d'herbe sèche en ruine. Jour après jour, avec derrière moi le mouvement traînant ou martelé de soixante paires de pieds nus, chacune couronnée d'une charge de soixante livres. Monter la tente, cuisiner, dormir, lever le camp, marcher. De temps à autre, un porteur mort sous le harnais, dans son dernier sommeil parmi les hautes herbes bordant la piste, sa calebasse à eau vide et son long bâton gisant à son côté. Alentour et au-dessus, un grand silence. Par une soirée paisible, à l'occasion, la trépidation de tambours lointains qui décroît et s'enfle, trépidation immense et faible; son étrange, séducteur, suggestif et sauvage – doté, qui sait? d'une signification aussi profonde que celui des cloches en pays chrétien. Une fois, un Blanc en uniforme débraillé, qui campait sur la piste avec une escorte armée de maigres Zanzibarais, très hospitalier et gai – pour ne pas dire ivre. Surveillait l'entretien de la route, à l'en croire. Dois avouer que je n'ai vu ni route ni entretien, à moins

---

1. Gravesend est situé à une trentaine de kilomètres en aval de Londres, sur la rive sud de la Tamise. Deal, ancien port devenu surtout station balnéaire, à quinze kilomètres au nord-est de Douvres, passe pour être le lieu où débarqua César. Les deux villes sont distantes d'environ quatre-vingt-dix kilomètres.

the body of a middle-aged negro, with a bullet-hole in the forehead, upon which I absolutely stumbled three miles farther on, may be considered as a permanent improvement. I had a white companion, too, not a bad chap, but rather too fleshy and with the exasperating habit of fainting on the hot hillsides, miles away from the least bit of shade and water. Annoying, you know, to hold your own coat like a parasol over a man's head while he is coming-to. I couldn't help asking him once what he meant by coming there at all. "To make money, of course. What do you think?" he said, scornfully. Then he got fever, and had to be carried in a hammock slung under a pole. As he weighed sixteen stone I had no end of rows with the carriers. They jibbed, ran away, sneaked off with their loads in the night – quite a mutiny. So, one evening, I made a speech in English with gestures, not one of which was lost to the sixty pairs of eyes before me, and the next morning I started the hammock off in front all right. An hour afterwards I came upon the whole concern wrecked in a bush – man, hammock, groans, blankets, horrors. The heavy pole had skinned his poor nose. He was very anxious for me to kill somebody, but there wasn't the shadow of a carrier near. I remembered the old doctor, – "It would be interesting for science to watch

94

que le corps d'un Nègre entre deux âges, le front troué d'une balle, sur lequel je vins littéralement buter trois milles plus loin, ne puisse être considéré comme une amélioration durable. J'avais aussi un compagnon blanc, pas le mauvais bougre, mais un peu trop bien en chair, et affligé de l'habitude exaspérante de s'évanouir sur les pentes brûlantes des collines, à des milles et des milles de la moindre source d'ombre et d'eau. Pas amusant, vous savez, de tenir votre vareuse en guise de parasol au-dessus de la tête de quelqu'un pendant qu'il revient à lui. Je ne pus m'empêcher de lui demander un jour ce qui lui avait pris de venir dans ce pays. "Pour gagner de l'argent, bien sûr. Qu'est-ce que vous croyez?" dit-il, méprisant. Ensuite, il a attrapé la fièvre, et il fallut le porter dans un hamac suspendu à une perche. Comme il pesait un peu plus de cent kilos, j'eus des algarades à n'en plus finir avec les porteurs. Ils renâclaient, s'enfuyaient, s'éclipsaient avec leur charge la nuit – une vraie mutinerie. Alors, un soir, je fis un discours, en anglais, accompagné de gestes dont pas un n'échappa aux soixante paires d'yeux que j'avais devant moi, et le lendemain matin je fis partir la litière en tête sans anicroche. Une heure plus tard, je tombais sur tout l'équipage naufragé dans un fourré – passager, hamac, gémissements, couvertures, crise de nerfs. La lourde perche avait complètement écorché son pauvre nez. Il était fort impatient de me voir tuer quelqu'un, mais il n'y avait pas l'ombre d'un porteur aux environs. Je me rappelai le vieux médecin – "Il serait intéressant pour la science d'observer

the mental changes of individuals, on the spot."
I felt I was becoming scientifically interesting.
However, all that is to no purpose. On the fifteenth
day I came in sight of the big river again, and hob-
bled into the Central Station. It was on a backwa-
ter surrounded by scrub and forest, with a pretty
border of smelly mud on one side, and on the
three others enclosed by a crazy fence of rushes. A
neglected gap was all the gate it had, and the first
glance at the place was enough to let you see the
flabby devil was running that show. White men
with long staves in their hands appeared languidly
from amongst the buildings, strolling up to take a
look at me, and then retired out of sight somewhere. One of them, a stout, excitable chap with
black moustaches, informed me with great volubi-
lity and many digressions, as soon as I told him
who I was, that my steamer was at the bottom of
the river. I was thunderstruck. What, how, why?
Oh, it was "all right." The "manager himself" was
there. All quite correct. "Everybody had behaved
splendidly! splendidly!" – "You must," he said in
agitation, "go and see the general manager at once.
He is waiting!"

'I did not see the real significance of that wreck
at once. I fancy I see it now, but I am not sure –
not at all. Certainly the affair was too stupid –
when I think of it – to be altogether natural. Still...
But at the moment it presented itself simply

96

sur place les transformations mentales des individus". Je me sentais devenir scientifiquement intéressant. Mais tout cela ne nous avance à rien. Le
quinzième jour, je revins en vue du grand fleuve,
et fis mon entrée en clopinant dans le poste central. Il était situé sur un marigot entouré de forêt
et de broussailles, un côté joliment bordé d'un
liséré de vase malodorante, les trois autres ceints
d'une palissade de joncs irrégulière. Il n'y avait en
guise de portail qu'une brèche mal entretenue
ouverte dans la clôture, et le premier coup d'œil
jeté alentour suffisait à vous montrer qu'en ces
lieux, c'était le démon avachi qui tirait les ficelles.
Des Blancs parurent, appuyés sur de longs bâtons,
émergeant mollement d'entre les bâtiments pour
venir sans hâte voir qui j'étais, et disparaître ensuite
quelque part. L'un d'eux, un gaillard à moustaches
noires, corpulent et émotif, m'informa avec un
grand flot de paroles et force digressions, dès que
je lui eus dit qui j'étais, que mon vapeur était au
fond du fleuve. Je fus atterré. Quoi, comment,
pourquoi ? Oh, tout "allait bien". Le "directeur
en personne" était sur les lieux. Tout était parfaitement en règle. "Tout le monde avait eu une
conduite exemplaire, exemplaire !" – "Il vous faut,
me dit-il avec beaucoup d'animation, aller voir tout
de suite le directeur général. Il vous attend !"

« Je ne vis pas immédiatement la véritable signification de ce naufrage. Je crois la voir maintenant,
mais je n'en suis pas sûr – pas sûr du tout. Cette
affaire était certainement trop bête – quand j'y
pense – pour être tout à fait naturelle. Pourtant...
Mais sur le moment elle se présentait seulement

as a confounded nuisance. The steamer was sunk. They had started two days before in a sudden hurry up the river with the manager on board, in charge of some volunteer skipper, and before they had been out three hours they tore the bottom out of her on stones, and she sank near the south bank. I asked myself what I was to do there, now my boat was lost. As a matter of fact, I had plenty to do in fishing my command out of the river. I had to set about it the very next day. That, and the repairs when I brought the pieces to the station, took some months.

'My first interview with the manager was curious. He did not ask me to sit down after my twenty-mile walk that morning. He was commonplace in complexion, in feature, in manners, and in voice. He was of middle size and of ordinary build. His eyes, of the usual blue, were perhaps remarkably cold, and he certainly could make his glance fall on one as trenchant and heavy as an axe. But even at these times the rest of his person seemed to disclaim the intention. Otherwise there was only an indefinable, faint expression of his lips, something stealthy – a smile – not a smile – I remember it, but I can't explain. It was unconscious, this smile was, though just after he had said something it got intensified for an instant. It came at the end of his speeches like a seal applied on the words to make the meaning of the commonest

comme une tuile de première grandeur. Le vapeur avait coulé. Deux jours auparavant, on était parti en grande hâte vers l'amont avec le directeur à bord, sous le commandement de quelque volontaire qui s'était improvisé patron, et avant d'avoir navigué trois heures on avait arraché le fond du bateau sur des rochers, et il avait sombré près de la rive sud. Je me demandai ce que j'allais bien faire là-bas, maintenant que mon bateau était perdu. En fait, j'eus largement de quoi m'occuper, à le repêcher au fond du fleuve. Je dus m'y mettre dès le lendemain. Cette tâche, avec les réparations, une fois les pièces détachées rapportées au poste par mes soins, me prit plusieurs mois.

« Ma première entrevue avec le directeur fut curieuse. J'avais beau avoir couvert vingt milles à pied ce matin-là, il ne me demanda pas de m'asseoir. Son teint, ses traits, ses manières, sa voix étaient quelconques. Il était de taille moyenne et de stature ordinaire. Ses yeux, du bleu courant, étaient peut-être remarquablement froids, et il savait à coup sûr faire tomber sur vous un regard aussi pesant et acéré qu'une hache. Mais même à ces moments-là, le reste de sa personne paraissait désavouer cette intention. Autrement, il n'y avait qu'une ombre d'expression indéfinissable flottant sur ses lèvres, quelque chose de furtif – un sourire – qui n'était pas un sourire – je le revois, mais ne peux l'expliquer. C'était inconscient, ce sourire, c'est sûr, et pourtant il s'accentuait l'espace d'un instant lorsqu'il avait dit quelque chose. Le sourire apparaissait à la fin de ses propos comme un sceau apposé sur ses paroles pour rendre la signification

phrase appear absolutely inscrutable. He was a common trader, from his youth up employed in these parts – nothing more. He was obeyed, yet he inspired neither love nor fear, nor even respect. He inspired uneasiness. That was it! Uneasiness. Not a definite mistrust – just uneasiness – nothing more. You have no idea how effective such a... a... faculty can be. He had no genius for organizing, for initiative, or for order even. That was evident in such things as the deplorable state of the station. He had no learning, and no intelligence. His position had come to him – why? Perhaps because he was never ill... He had served three terms of three years out there... Because triumphant health in the general rout of constitutions is a kind of power in itself. When he went home on leave he rioted on a large scale – pompously. Jack ashore – with a difference – in externals only. This one could gather from his casual talk. He originated nothing, he could keep the routine going – that's all. But he was great. He was great by this little thing that it was impossible to tell what could control such a man. He never gave that secret away. Perhaps there was nothing within him. Such a suspicion made one pause – for out there were no external checks. Once when various tropical diseases had laid low almost every "agent" in the station,

de l'expression la plus ordinaire absolument impénétrable. Ce n'était qu'un négociant ordinaire, employé dans cette région depuis son jeune âge – rien de plus. On lui obéissait, et cependant il n'inspirait ni affection, ni crainte, ni même du respect. Il inspirait de la gêne. C'est cela! De la gêne. Pas une franche méfiance – rien que de la gêne, rien de plus. Vous n'avez pas idée des effets qu'un tel... qu'une telle... faculté peut avoir. Ce n'était pas un génie de l'organisation, de l'initiative, ou même simplement de l'ordre. Cela se manifestait clairement à des signes tels que l'état déplorable du poste. Il n'avait pas de connaissances ni d'intelligence. Sa situation lui était échue – comment? Peut-être parce qu'il n'était jamais malade... Il avait rempli là-bas trois contrats de trois ans... Car la santé éclatante, dans la déroute générale des organismes, est en soi une sorte de pouvoir. Quand il rentrait au pays en congé, il faisait la noce sur une grande échelle – avec arrogance. Un marin en bordée – à quelque chose près – aux seules apparences près. C'est ce que l'on pouvait deviner d'après des remarques qu'il faisait en passant. Il n'avait rien mis sur pied, il était capable de maintenir la machine en marche – c'est tout. Mais il était grand. Il était grand grâce à un détail, à savoir qu'il était impossible de dire ce qui pouvait retenir un homme comme lui. Jamais il ne lâcha ce secret. Peut-être n'y avait-il rien du tout en lui. Une telle supposition laissait songeur – car là-bas, il n'existait aucun frein extérieur. On l'entendit, un jour où diverses maladies tropicales avaient abattu presque tous les "agents" du poste,

he was heard to say. "Men who come out here should have no entrails." He sealed the utterance with that smile of his, as though it had been a door opening into a darkness he had in his keeping. You fancied you had seen things – but the seal was on. When annoyed at mealtimes by the constant quarrels of the white men about precedence, he ordered an immense round table to be made, for which a special house had to be built. This was the station's mess-room. Where he sat was the first place – the rest were nowhere. One felt this to be his unalterable conviction. He was neither civil nor uncivil. He was quiet. He allowed his "boy" – an overfed young Negro from the coast – to treat the white men, under his very eyes, with provoking insolence.

'He began to speak as soon as he saw me. I had been very long on the road. He could not wait. Had to start without me. The upriver stations had to be relieved. There had been so many delays already that he did not know who was dead and who was alive, and how they got on – and so on, and so on. He paid no attention to my explanations, and, playing with a stick of sealing-wax, repeated several times that the situation was "very grave, very grave." There were rumours that a very important station was in jeopardy, and its chief, Mr Kurtz, was ill. Hoped it was not true. Mr Kurtz was... I felt weary and irritable. Hang Kurtz, I thought. I interrupted him by saying I had heard of Mr Kurtz on the coast.

dire : "Les gens qui viennent ici ne devraient pas avoir d'entrailles." Il scella cette déclaration de ce sourire qui n'appartenait qu'à lui, comme si ç'avait été une porte ouvrant sur des ténèbres dont il avait la garde. On se figurait avoir vu des choses – mais le sceau était posé. Irrité, à l'heure des repas, par les constantes querelles de préséance des Blancs, il fit faire une immense table ronde, pour laquelle il fallut construire une maison spéciale. C'était le mess du poste. La place d'honneur était celle où il s'asseyait – les autres étaient d'une égale insignifiance. L'on sentait que c'était là son inébranlable conviction. Il n'était ni civil ni incivil. Il était placide. Il laissait son boy – un jeune Nègre trop bien nourri, originaire de la côte – traiter, sous ses propres yeux, les Blancs avec une insolence provocante.

« Il se mit à parler dès qu'il me vit. J'avais mis beaucoup de temps à faire la route. Il ne pouvait attendre. Avait dû partir sans moi. Les postes du haut fleuve devaient être relevés. Il y avait eu déjà tant de retards qu'il ne savait pas qui était en vie et qui était mort, ni comment allaient les choses, et cetera, et cetera. Il ne prêtait aucune attention à mes explications et, tout en jouant avec un bâton de cire à cacheter, répéta plusieurs fois que la situation était "très sérieuse, très sérieuse". Des bruits circulaient, selon lesquels un poste très important était menacé, et son chef, M. Kurtz, malade. Espérait qu'il n'en était rien. M. Kurtz était... Je me sentais las et irritable. Au diable Kurtz, pensai-je. Je l'interrompis en disant que j'avais entendu parler de M. Kurtz sur la côte

"Ah! So they talk of him down there," he murmured to himself. Then he began again, assuring me Mr Kurtz was the best agent he had, an exceptional man, of the greatest importance to the Company; therefore I could understand his anxiety. He was, he said, "very, very uneasy." Certainly he fidgeted on his chair a good deal, exclaimed, "Ah, Mr Kurtz!", broke the stick of sealing-wax and seemed dumbfounded by the accident. Next thing he wanted to know "how long it would take to…" I interrupted him again. Being hungry, you know, and kept on my feet, too, I was getting savage. "How could I tell?" I said. "I hadn't even seen the wreck yet – some months, no doubt." All this talk seemed to me so futile. "Some months," he said. "Well, let us say three months before we can make a start. Yes. That ought to do the affair." I flung out of his hut (he lived all alone in a clay hut with a sort of verandah) muttering to myself my opinion of him. He was a chattering idiot. Afterwards I took it back when it was borne in upon me startlingly with what extreme nicety he had estimated the time requisite for the "affair."

'I went to work the next day, turning, so to speak, my back on that station. In that way only it seemed to me I could keep

1. Conrad procède ici à une greffe linguistique hardie, en traduisant littéralement du français. Si le substantif *affair* existe bien en anglais (avec un champ sémantique nettement plus étroit que dans notre langue), il n'en va pas de même pour l'expression *to do the affair* que forge l'auteur; elle serait à vrai dire inutile, le seul verbe *to do* pouvant prendre le sens

104

"Ah! on parle donc de lui là-bas", murmura-t-il pour lui-même. Puis il reprit, m'assurant que M. Kurtz était le meilleur agent qu'il eût, un homme exceptionnel, de la plus haute importance pour la Compagnie; je pouvais donc comprendre son anxiété. Il était, dit-il, "très, très inquiet". Il s'agitait assurément beaucoup sur sa chaise, et s'exclama : "Ah, M. Kurtz!", brisa le bâton de cire et parut décontenancé par cet accident. Ensuite, il voulut savoir "combien de temps cela prendrait pour..." Je l'interrompis une fois encore. J'avais faim, vous savez, et à être laissé debout comme ça, en plus, je commençais à devenir mauvais. "Comment voulez-vous que je le sache? dis-je, je n'ai même pas vu l'épave – plusieurs mois, sans aucun doute." Tout ce bavardage me paraissait si vain. "Plusieurs mois, dit-il. Eh bien, disons trois mois avant de pouvoir partir. Oui. Ça devrait pouvoir faire l'affaire[1]." Je m'élançai hors de sa case (il vivait tout seul dans une case d'argile flanquée d'une sorte de véranda), en marmonnant. Mon opinion était faite à son sujet. C'était un jacasseur imbécile. Plus tard, je la révisai, lorsque je fus bien obligé de constater avec quelle extrême précision il avait estimé le temps que devait exiger cette "affaire".

« Je me mis au travail le lendemain, tournant pour ainsi dire le dos au poste. C'est seulement ainsi que j'eus l'impression de pouvoir garder

de « suffire ». Il se peut que le gallicisme soit ici délibéré puisque la conversation entre le directeur (belge) et son subordonné Marlow se déroule évidemment en français; Marlow n'en livre au lecteur qu'une traduction.

my hold on the redeeming facts of life. Still, one must look about sometimes; and then I saw this station, these men strolling aimlessly about in the sunshine of the yard. I asked myself sometimes what it all meant. They wandered here and there with their absurd long staves in their hands, like a lot of faithless pilgrims bewitched inside a rotten fence. The word "ivory" rang in the air, was whispered, was sighed. You would think they were praying to it. A taint of imbecile rapacity blew through it all, like a whiff from some corpse. By Jove! I've never seen anything so unreal in my life. And outside, the silent wilderness surrounding this cleared speck on the earth struck me as something great and invincible, like evil or truth, waiting patiently for the passing away of this fantastic invasion.

'Oh, these months! Well, never mind. Various things happened. One evening a grass shed full of calico, cotton print, beads, and I don't know what else, burst into a blaze so suddenly that you would have thought the earth had opened to let an avenging fire consume all that trash. I was smoking my pipe quietly by my dismantled steamer, and saw them all cutting capers in the light, with their arms lifted high, when the stout man with moustaches came tearing down to the river, a tin pail in his hand, assured me that everybody was "behaving splendidly, splendidly", dipped about a

prise sur les aspects positifs de la vie. Pourtant, il faut bien, parfois, regarder autour de soi; et je voyais alors ce poste, ces hommes allant de-ci, de-là, sans hâte, sans but, dans le soleil de la cour. Je me demandais quelquefois ce que tout cela signifiait. Ils erraient de droite et de gauche, leur bâton d'une longueur absurde à la main, comme une troupe de pèlerins sans foi qu'un sortilège empêcherait de franchir une barrière pourrie. Le mot "ivoire" était dans l'air, se murmurait, se soupirait. On aurait dit qu'ils lui adressaient leurs prières. Un relent de rapacité imbécile montait de l'ensemble, comme une exhalaison venue d'un cadavre. Ma parole! Jamais de ma vie je n'ai vu quelque chose d'aussi irréel. Et dehors, la nature sauvage et silencieuse qui entourait cette petite parcelle de terre défrichée me donnait la vive impression de quelque chose de grand et d'invincible, comme le mal ou la vérité, attendant patiemment que disparaisse cette fantastique invasion.

«Ah, ces mois! Enfin, n'en parlons plus. Il se produisit diverses choses. Un soir, une paillote emplie de calicot, de cotonnades, de verroterie et de je ne sais quoi encore, se mit à flamber si soudainement qu'on aurait dit que la terre s'était ouverte pour laisser un feu vengeur consumer toute cette pacotille. Je fumais tranquillement ma pipe près de mon vapeur en pièces détachées, et les voyais tous faire leurs cabrioles dans la lueur de l'incendie, les bras au ciel, quand le gros moustachu survint; se précipitant vers le fleuve, un seau de fer-blanc à la main, il m'assura que tout le monde avait "une conduite exemplaire, exemplaire", puisa environ

quart of water and tore back again. I noticed there was a hole in the bottom of his pail.

'I strolled up. There was no hurry. You see the thing had gone off like a box of matches. It had been hopeless from the very first. The flame had leaped high, driven everybody back, lighted up everything – and collapsed. The shed was already a heap of embers glowing fiercely. A nigger was being beaten near by. They said he had caused the fire in some way; be that as it may, he was screeching most horribly. I saw him, later, for several days, sitting in a bit of shade looking very sick and trying to recover himself: afterwards he arose and went out – and the wilderness without a sound took him into its bosom again. As I approached the glow from the dark I found myself at the back of two men, talking. I heard the name of Kurtz pronounced, then the words, "take advantage of this unfortunate accident." One of the men was the manager. I wished him a good evening. "Did you ever see anything like it – eh? it is incredible," he said, and walked off. The other man remained. He was a first-class agent, young, gentlemanly, a bit reserved, with a forked little beard and a hooked nose. He was stand-offish with the other agents, and they on their side said he was the manager's spy upon them. As to me, I had hardly ever spoken to him before. We got into talk, and by-and-by we strolled away from the hissing ruins. Then he asked

un litre d'eau, et repartit à toute allure. Je remarquai que le fond de son seau était percé.

«Je montai à pas mesurés. Rien ne pressait. La chose, voyez-vous, s'était embrasée comme une boîte d'allumettes. Dès le premier instant, il n'y avait plus rien à faire. La flamme avait bondi très haut, fait reculer tout le monde, illuminé toute chose – et était retombée. L'entrepôt n'était déjà plus qu'une masse de braises qui rougeoyait furieusement. Non loin de là, on battait un Nègre. On disait qu'il était en quelque façon responsable de l'incendie ; quoi qu'il en soit, il poussait d'une voix aiguë les cris les plus affreux. Plus tard, je le vis pendant plusieurs jours, assis dans un coin d'ombre, l'air bien mal en point, essayant de se remettre : ensuite il se leva et partit – et le monde sauvage, sans un bruit, le reprit dans son sein. Comme, venant de l'obscurité, je m'approchais du brasier, je me trouvai derrière deux hommes qui conversaient. J'entendis prononcer le nom de Kurtz, puis les mots "tirer parti de ce regrettable accident". L'un des hommes était le directeur. Je lui souhaitai le bonsoir. "Avez-vous jamais vu chose pareille – hein ? c'est incroyable", dit-il, et il s'éloigna. L'autre resta. C'était un agent de première classe, jeune, bien élevé, un tantinet réservé, avec une petite barbe fourchue et un nez busqué. Il était distant avec les autres agents, et eux, de leur côté, disaient qu'il était parmi eux le mouchard du directeur. Quant à moi, je ne lui avais pour ainsi dire jamais adressé la parole auparavant. Nous commençâmes à deviser, et nous nous éloignâmes bientôt des ruines sifflantes. Puis il m'invita dans

me to his room, which was in the main building of the station. He struck a match, and I perceived that this young aristocrat had not only a silver-mounted dressing-case but also a whole candle all to himself. Just at that time the manager was the only man supposed to have any right to candles. Native mats covered the clay walls; a collection of spears, assegais, shields, knives was hung up in trophies. The business entrusted to this fellow was the making of bricks – so I had been informed; but there wasn't a fragment of a brick anywhere in the station, and he had been there more than a year – waiting. It seems he could not make bricks without something, I don't know what – straw maybe. Anyways, it could not be found there, and as it was not likely to be sent from Europe, it did not appear clear to me what he was waiting for. An act of special creation perhaps. However, they were all waiting – all the sixteen or twenty pilgrims of them – for something; and upon my word it did not seem an uncongenial occupation, from the way they took it, though the only thing that ever came to them was disease – as far as I could see. They beguiled the time by backbiting and intriguing against each other in a foolish kind of way. There was an air of plotting about that station, but nothing came of it, of course. It was as unreal as everything else – as the philanthropic pretence of the whole concern, as their talk, as

sa chambre, qui se trouvait dans le bâtiment principal du poste. Il frotta une allumette, et je m'aperçus que ce jeune aristocrate avait, non seulement un nécessaire de toilette à monture d'argent, mais aussi une bougie entière pour son usage personnel. À ce moment précis, le directeur seul était censé avoir droit à des bougies. Les parois d'argile étaient couvertes de nattes indigènes; une collection de lances, de sagaies, de boucliers, de poignards était accrochée en panoplie. La tâche confiée à ce gaillard était, à ce que j'avais appris, la confection de briques; mais il n'y avait pas l'ombre d'une brique dans le poste, et il y était depuis plus d'un an – à attendre. Il paraît qu'il ne pouvait fabriquer des briques sans quelque chose, je ne sais quoi – peut-être bien de la paille. Quelque chose en tout cas qui ne se trouvait pas sur place, et comme il était peu probable qu'on lui en expédierait d'Europe, je ne saisis pas très bien ce qu'il attendait. Un décret particulier du Créateur, peut-être. Quoi qu'il en soit, ils attendaient tous – les seize ou vingt pèlerins qu'ils étaient – quelque chose; et ma foi ça n'avait pas l'air d'une occupation faite pour leur déplaire, à en juger par la manière dont ils la prenaient, bien que la seule chose, à ma connaissance, qui leur arrivât jamais fût la maladie. Ils trompaient leur attente en faisant des ragots et en intriguant les uns contre les autres de stupide façon. Il régnait dans ce poste une atmosphère de complot, mais il n'en sortait rien, naturellement. C'était aussi irréel que tout le reste – que le prétexte philanthropique de l'ensemble de l'entreprise, que leurs propos, que

111

their government, as their show of work. The only real feeling was a desire to get appointed to a trading post where ivory was to be had, so that they could earn percentages. They intrigued and slandered and hated each other only on that account – but as to effectually lifting a little finger – oh, no. By heavens! there is something after all in the world allowing one man to steal a horse while another must not look at a halter. Steal a horse straight out. Very well. He has done it. Perhaps he can ride. But there is a way of looking at a halter that would provoke the most charitable of saints into a kick.

'I had no idea why he wanted to be sociable, but as we chatted in there it suddenly occurred to me the fellow was trying to get at something – in fact, pumping me. He alluded constantly to Europe, to the people I was supposed to know there – putting leading questions as to my acquaintances in the sepulchral city, and so on. His little eyes glittered like mica discs – with curiosity – though he tried to keep up a bit of superciliousness. At first I was astonished, but very soon I became awfully curious to see what he would find out from me. I couldn't possibly imagine what I had in me to make it worth his while. It was very pretty to see

leur gouvernement[1], que leur simulacre de travail. Le seul sentiment réel, c'était le désir d'être nommé à un comptoir où il y avait moyen de se procurer de l'ivoire, de manière à pouvoir toucher un pourcentage. C'est l'unique raison qui les poussait à intriguer, à médire les uns des autres et à se détester – mais quant à lever effectivement le petit doigt – pas question. Sapristi! ce n'est pas par hasard après tout que le monde entier tolère qu'un homme vole un cheval, alors qu'un autre n'aura pas même le droit de regarder une longe. Voler carrément un cheval. Très bien. Il l'a fait. Il est peut-être bon cavalier. Mais il y a une façon de lorgner une longe qui pousserait le plus charitable des saints à décocher un coup de pied.

«Je ne voyais pas du tout pourquoi il se mettait en frais, mais, tandis que nous bavardions dans cette pièce, il me vint tout à coup que ce drôle avait une idée derrière la tête – en fait, celle de me tirer les vers du nez. Il faisait constamment allusion à l'Europe, aux gens que j'y étais supposé connaître – posant des questions orientées quant à mes relations dans la cité sépulcrale, et ainsi de suite. Ses petits yeux brillaient – de curiosité – comme des disques de mica, en dépit de ses efforts pour garder son air un rien dédaigneux. Je fus d'abord stupéfait, mais brûlai bientôt du désir de savoir ce qu'il voulait me soutirer. Je ne pouvais absolument pas imaginer ce qu'il y avait en moi qui pût mériter de tels efforts. C'était un joli spectacle de voir

---

1. Celui de l'État indépendant du Congo, alors domaine personnel de Léopold II, roi des Belges.

how he baffled himself, for in truth my body was full only of chills, and my head had nothing in it but that wretched steamboat business. It was evident he took me for a perfectly shameless prevaricator. At last he got angry, and to conceal a movement of furious annoyance, he yawned. I rose. Then I noticed a small sketch in oils, on a panel, representing a woman, draped and blindfolded, carrying a lighted torch. The background was sombre – almost black. The movement of the woman was stately, and the effect of the torch-light on the face was sinister.

'It arrested me, and he stood by civilly, holding an empty half-pint champagne bottle (medical comforts) with the candle stuck in it. To my question he said Mr Kurtz had painted this – in this very station more than a year ago – while waiting for means to go to his trading post. "Tell me, pray," said I, "who is this Mr Kurtz?"

'"The chief of the Inner Station," he answered in a short tone, looking away. "Much obliged," I said, laughing. "And you are the brickmaker of the Central Station. Everyone knows that." He was silent for a while. "He is a prodigy," he said at last. "He is an emissary of pity, and science, and progress, and devil knows what else. We want," he began to declaim suddenly, "for the guidance of the cause entrusted to us by Europe, so to speak, higher intelligence, wide sympathies, a singleness of purpose." "Who says that?" I asked. "Lots of

comme il se leurrait, car en vérité je n'avais le corps empli que de frissons ; quant à ma tête, elle était tout occupée de cette maudite affaire de vapeur. Il était évident qu'il me prenait pour un menteur éhonté. Il finit par se mettre en colère et, pour cacher un mouvement d'exaspération, il bâilla. Je me levai. Je remarquai alors une petite étude à l'huile, sur un panneau, représentant une femme, drapée, les yeux bandés et portant une torche allumée. Le fond était ténébreux – presque noir. Le mouvement de la femme était majestueux, et la lueur de la torche sur le visage, sinistre.

« Je demeurai en arrêt, et il resta poliment debout à mes côtés, tenant un quart de champagne vide (tonique prescrit par la faculté) avec la bougie fichée dans le goulot. Il répondit à ma question que c'était M. Kurtz qui avait peint cela – dans ce même poste, plus d'un an auparavant –, tandis qu'il attendait la possibilité de rejoindre son comptoir. "Dites-moi, je vous prie, demandai-je, qui est ce M. Kurtz ?"

« "Le chef du poste de l'intérieur, répondit-il sèchement, en détournant les yeux. – Grand merci, dis-je en riant. Et vous êtes le briquetier du poste central. Tout le monde sait cela." Il resta un moment silencieux. "C'est un prodige, dit-il enfin. C'est un émissaire de la pitié, de la science, du progrès, et le diable sait de quoi d'autre encore. Il nous faut, se mit-il à déclamer soudain, pour diriger la mission que l'Europe nous a, pour ainsi dire, confiée, une haute intelligence, une large compassion, des yeux toujours fixés sur le but à atteindre. – Qui dit cela ? demandai-je. – Des tas

them," he replied. "Some even write that; and so *he* comes here, a special being, as you ought to know." "Why ought I to know?" I interrupted, really surprised. He paid no attention. "Yes. Today he is chief of the best station, next year he will be assistant-manager, two years more and... but I daresay you know what he will be in two years' time. You are of the new gang – the gang of virtue. The same people who sent him specially also recommended you. Oh, don't say no. I've my own eyes to trust." Light dawned upon me. My dear aunt's influential acquaintances were producing an unexpected effect upon that young man. I nearly burst into a laugh. "Do you read the Company's confidential correspondence?" I asked. He hadn't a word to say. It was great fun. "When Mr Kurtz," I continued, severely, "is General Manager, you won't have the opportunity."

'He blew the candle out suddenly, and we went outside. The moon had risen. Black figures strolled about listlessly, pouring water on the glow, whence proceeded a sound of hissing; steam ascended in the moonlight, the beaten nigger groaned some-where. "What a row the brute makes!" said the indefatigable man with the moustaches, appearing near us. "Serve him right. Transgression – punish-ment – bang! Pitiless, pitiless. That's the only way. This will prevent all conflagrations for the future. I was just telling the manager..." He noticed my companion, and became crestfallen all at once.

116

de gens, répliqua-t-il. Certains vont jusqu'à l'écrire ; et voilà comment il arrive ici, lui, cet être d'exception, ainsi que vous devriez le savoir. – Pourquoi devrais-je le savoir ?" interrompis-je, vraiment surpris. Il n'y fit pas attention. "Oui. Aujourd'hui, il est à la tête du meilleur poste, l'an prochain, il sera directeur adjoint, encore deux ans et… mais je pense que vous savez ce qu'il sera dans deux ans. Vous êtes de la nouvelle clique – la clique de la vertu. Ce sont les mêmes gens qui l'ont envoyé tout exprès et qui vous ont recommandé aussi. Oh, ne dites pas non. Je crois ce que je vois." La lumière se fit dans mon esprit. Les relations haut placées de ma chère tante produisaient sur ce jeune homme un effet imprévu. Je faillis éclater de rire. "Vous lisez le courrier confidentiel de la Compagnie ?" demandai-je. Il resta sans voix. C'était très drôle. "Lorsque M. Kurtz, poursuivis-je d'un ton sévère, sera directeur général, vous n'en aurez pas la possibilité."

« Il souffla brusquement la bougie, et nous sortîmes. La lune s'était levée. Des silhouettes noires circulaient, nonchalantes, et versaient de l'eau sur le brasier, d'où provenait un sifflement ; de la vapeur montait dans le clair de lune ; quelque part, le Nègre battu gémissait. "Il en fait, un vacarme, cet animal ! dit l'infatigable moustachu, surgissant à nos côtés. Bien fait pour lui. Faute – punition – pan ! Pas de pitié, pas de pitié. C'est la seule méthode. Ce qu'il vient de recevoir préviendra tout incendie à l'avenir. Je disais à l'instant au directeur…" Il s'aperçut de la présence de mon compagnon, et sa mine s'allongea sur-le-champ.

"Not in bed yet," he said, with a kind of servile heartiness; "it's so natural. Ha! Danger – agitation." He vanished. I went on to the river-side, and the other followed me. I heard a scathing murmur at my ear. "Heap of muffs – go to." The pilgrims could be seen in knots gesticulating, discussing. Several had still their staves in their hands. I verily believe they took these sticks to bed with them. Beyond the fence the forest stood up spectrally in the moonlight, and through the dim stir, through the faint sounds of that lamentable courtyard, the silence of the land went home to one's very heart – its mystery, its greatness, the amazing reality of its concealed life. The hurt nigger moaned feebly somewhere near by, and then fetched a deep sigh that made me mend my pace away from there. I felt a hand introducing itself under my arm. "My dear sir," said the fellow. "I don't want to be misunderstood, and especially by you, who will see Mr Kurtz long before I can have that pleasure. I wouldn't like him to get a false idea of my disposition..."

'I let him run on, this papier-mâché Mephistopheles, and it seemed to me that if I tried I could poke my forefinger through him, and would find nothing inside but a little loose dirt, maybe. He, don't you see, had been planning to be assistant-manager by-and-by under the present man, and I could see that the coming of that Kurtz had upset them both not a little. He talked precipitately, and I did not try to stop him. I had my shoulders against the wreck of my steamer, hauled up

118

"Pas encore couché, dit-il avec une sorte de cordialité servile; c'est tout naturel. Ha! le danger, l'agitation." Il disparut. Je continuai mon chemin jusqu'à la berge du fleuve, et l'autre me suivit. J'entendis un murmure acerbe à mon oreille : "Bande d'emplâtres – va." L'on voyait les pèlerins gesticuler et discuter en petits groupes. Plusieurs tenaient à la main leur bâton. Je crois vraiment qu'ils allaient se coucher avec leur bout de bois. Au-delà de la clôture, la forêt se dressait, spectrale dans le clair de lune, et derrière le vague brouhaha, derrière les faibles bruits de cette cour pitoyable, le silence de ce pays vous allait droit au cœur – son mystère, sa grandeur, la stupéfiante réalité de sa vie cachée. Le Nègre malmené gémissait faiblement quelque part, tout près, puis poussa un profond soupir qui me fit presser le pas pour m'éloigner. Je sentis une main se glisser sous mon bras. "Mon cher monsieur, dit l'autre, je ne voudrais pas être mal compris, surtout de vous, qui verrez M. Kurtz bien avant que je ne puisse avoir ce plaisir. Je ne voudrais pas qu'il se fasse une idée fausse de mes dispositions…"

«Je le laissai poursuivre, ce Méphistophélès de carton-pâte, et j'eus l'impression que, si j'essayais, je pourrais passer mon index au travers, sans rien trouver à l'intérieur que peut-être un peu de fange inconsistante. C'est que, figurez-vous, il avait projeté de devenir sous peu l'adjoint de l'actuel directeur, et je voyais bien que l'arrivée de ce Kurtz les avait mis l'un et l'autre dans tous leurs états. Il parlait avec précipitation, et je ne tentai pas de l'arrêter. J'étais adossé à l'épave de mon vapeur, hissée

on the slope like a carcass of some big river animal. The smell of mud, of primeval mud, by Jove! was in my nostrils, the high stillness of primeval forest was before my eyes; there were shiny patches on the black creek. The moon had spread over everything a thin layer of silver – over the rank grass, over the mud, upon the wall of matted vegetation standing higher than the wall of a temple, over the great river I could see through a sombre gap glittering, glittering, as it flowed broadly by without a murmur. All this was great, expectant, mute, while the man jabbered about himself. I wondered whether the stillness on the face of the immensity looking at us two were meant as an appeal or as a menace. What were we who had strayed in here? Could we handle that dumb thing, or would it handle us? I felt how big, how confoundedly big, was that thing that couldn't talk, and perhaps was deaf as well. What was in there? I could see a little ivory coming out from there, and I had heard Mr Kurtz was in there. I had heard enough about it, too – God knows! Yet somehow it didn't bring any image with it – no more than if I had been told an angel or a fiend was in there. I believed it in the same way one of you might believe there are inhabitants in the planet Mars. I knew once a Scotch sailmaker who was certain, dead sure, there were people in Mars. If you

en haut de la berge comme le cadavre de quelque gros animal aquatique. L'odeur de la vase, de la vase originelle, parbleu! m'emplissait les narines, l'immobilité altière de la forêt originelle s'étendait devant mes yeux; il y avait de petites plaques brillantes sur le noir du bras mort. La lune avait étendu sur toutes choses une pellicule d'argent – sur l'herbe drue, sur la vase, sur la muraille de végétaux tressés qui s'élevait plus haut que l'enceinte d'un temple, sur le grand fleuve que je voyais briller, briller par une sombre échancrure, comme son large flot coulait sans un murmure. Tout cela était grand, patient, muet, tandis que le bonhomme jacassait à son propre sujet. Je me demandais si le visage impassible de cette immensité qui nous regardait tous deux exprimait une invite ou une menace. Qu'étions-nous, nous qui nous étions fourvoyés jusqu'ici? Pourrions-nous manœuvrer cette chose muette, ou était-ce elle qui nous manœuvrerait? Je me rendais compte de la dimension énorme, diantrement énorme, de cette chose qui ne savait pas parler et qui était peut-être sourde par-dessus le marché. Qu'y avait-il dedans? Je voyais bien qu'il en sortait un peu d'ivoire, et j'avais appris que M. Kurtz était à l'intérieur. On m'en avait assez rebattu les oreilles – Dieu sait! Pourtant, cela ne faisait, allez savoir pourquoi, naître aucune image – pas plus que si l'on m'avait dit qu'il y avait à l'intérieur un ange ou un démon. J'y croyais de la même manière que l'un de vous pourrait croire qu'il y a des habitants sur la planète Mars. J'ai connu jadis un maître voilier écossais qui était certain, il en aurait mis sa tête à couper, qu'il y a des gens sur Mars. Si on lui

asked him for some idea how they looked and behaved, he would get shy and mutter something about "walking on all fours." If you as much as smiled, he would – though a man of sixty – offer to fight you. I would not have gone so far as to fight for Kurtz, but I went for him near enough to a lie. You know I hate, detest, and can't bear a lie, not because I am straighter than the rest of us, but simply because it appals me. There is a taint of death, a flavour of mortality in lies – which is exactly what I hate and detest in the world – what I want to forget. It makes me miserable and sick, like biting something rotten would do. Temperament, I suppose. Well, I went near enough to it by letting the young fool there believe anything he liked to imagine as to my influence in Europe. I became in an instant as much of a pretence as the rest of the bewitched pilgrims. This simply because I had a notion it somehow would be of help to that Kurtz whom at the time I did not see – you understand. He was just a word for me. I did not see the man in the name any more than you do. Do you see him? Do you see the story? Do you see anything? It seems to me I am trying to tell you a dream – making a vain attempt, because no relation of a dream can convey the dream-sensation, that commingling of absurdity, surprise, and bewilderment in a tremor of struggling revolt,

demandait de donner une idée de leur aspect et de leurs façons, il devenait réservé et marmonnait quelque chose à propos de "marche à quatre pattes". Si vous ébauchiez seulement un sourire, il proposait – bien que sexagénaire – de faire le coup de poing. Je ne serais pas allé jusqu'à faire le coup de poing pour Kurtz, mais je suis presque allé jusqu'au mensonge pour lui. Vous savez que je déteste, que j'exècre, que je ne peux supporter le mensonge, non que je sois plus honnête qu'un autre, mais simplement parce que ça me fait peur. Il y a dans le mensonge un relent de mort, un parfum de corruption – très exactement ce que je déteste et exècre le plus au monde –, ce que je veux oublier. Cela me met à l'envers et me soulève le cœur, comme si je mordais dans quelque chose de pourri. Affaire de tempérament, je suppose. Eh bien, je suis presque allé jusque-là quand j'ai laissé ce jeune imbécile croire tout ce qui lui passait par la tête quant à mon influence en Europe. En un instant, j'ai égalé en imposture le reste des pèlerins ensorcelés. Et cela simplement parce que j'avais dans l'idée que, d'une manière ou d'une autre, cela aiderait ce Kurtz qu'à ce moment-là, comprenez-vous, je n'arrivais pas à me représenter. Il n'était qu'un mot pour moi. Je ne voyais pas plus l'homme dans le nom que vous ne le voyez. Le voyez-vous ? Voyez-vous l'histoire ? Voyez-vous quelque chose ? Je me fais l'effet d'essayer de vous raconter un rêve – vaine entreprise, car aucun récit de rêve ne peut communiquer la sensation du rêve, cette mixture d'absurdité, de surprise et d'ahurissement, dans un frisson de révolte

that notion of being captured by the incredible which is of the very essence of dreams…'

He was silent for a while.

'… No, it is impossible; it is impossible to convey the life-sensation of any given epoch of one's existence – that which makes its truth, its meaning – its subtle and penetrating essence. It is impossible. We live, as we dream – alone…'

He paused again as if reflecting, then added –

'Of course in this you fellows see more than I could then. You see me, whom you know…'

It had become so pitch dark that we listeners could hardly see one another. For a long time already he, sitting apart, had been no more to us than a voice. There was not a word from anybody. The others might have been asleep, but I was awake. I listened, I listened on the watch for the sentence, for the word, that would give me the clue to the faint uneasiness inspired by this narrative that seemed to shape itself without human lips in the heavy night-air of the river.

'… Yes – I let him run on,' Marlow began again, 'and think what he pleased about the powers that were behind me. I did! And there was nothing behind me! There was nothing but that wretched, old, mangled steamboat I was leaning against, while he talked fluently about "the necessity for every man to get on."

scandalisée, cette impression d'être prisonnier de l'invraisemblable qui est l'essence même du rêve...»

Il se tut pendant un moment.

«... Non, c'est impossible ; c'est impossible de faire partager la sensation de vécu de n'importe quelle période donnée de son existence – ce qui en fait la vérité, la signification – son essence volatile et pénétrante. C'est impossible. On vit comme on rêve – seul.»

Il s'interrompit de nouveau, comme s'il méditait, puis ajouta :

«Naturellement, en l'occurrence, vous autres voyez plus de choses que je ne pouvais en voir sur le moment. Vous me voyez, moi que vous connaissez...»

L'obscurité était devenue si impénétrable que nous, les auditeurs, pouvions à peine nous deviner l'un l'autre. Depuis longtemps déjà, lui, qui était assis à l'écart, n'était plus pour nous qu'une voix. Personne ne dit mot. Les autres étaient peut-être assoupis, mais j'étais éveillé. J'écoutais, j'écoutais avidement, guettant la phrase, le mot, qui me donnerait la clef du vague malaise inspiré par ce récit qui semblait prendre forme sans le secours des lèvres humaines, dans la lourde atmosphère nocturne du fleuve.

«... Oui, je le laissai poursuivre, reprit Marlow, et croire ce qu'il voulait au sujet des puissances qu'il y avait derrière moi. Parfaitement! Et il n'y avait rien derrière moi ! Il n'y avait rien que ce pitoyable vieux vapeur disloqué auquel j'étais appuyé, tandis qu'il discourait d'abondance sur "la nécessité pour tout le monde de faire son chemin".

"And when one comes out here, you conceive, it is not to gaze at the moon." Mr Kurtz was a "universal genius", but even a genius would find it easier to work with "adequate tools – intelligent men." He did not make bricks – why, there was a physical impossibility in the way – as I was well aware; and if he did secretarial work for the manager, it was because "no sensible man rejects wantonly the confidence of his superiors." Did I see it? I saw it. What more did I want? What I really wanted was rivets, by heaven! Rivets. To get on with the work – to stop the hole. Rivets I wanted. There were cases of them down at the coast – cases – piled up – burst – split! You kicked a loose rivet at every second step in that station yard on the hillside. Rivets had rolled into the grove of death. You could fill your pockets with rivets for the trouble of stooping down – and there wasn't one rivet to be found where it was wanted. We had plates that would do, but nothing to fasten them with. And every week the messenger, a lone negro, letter-bag on shoulder and staff in hand, left our station for the coast. And several times a week a coast caravan came in with trade goods – ghastly glazed calico that made you shudder only to look at it, glass beads value about a penny a quart, confounded spotted cotton handkerchiefs. And no rivets. Three

"Et quand on vient jusqu'ici, vous pensez bien, ce n'est pas pour contempler la lune." M. Kurtz était "un génie universel", mais même un génie aurait plus de facilité à travailler avec "des outils adéquats – des gens intelligents". Il ne fabriquait pas de briques – mais c'est qu'il y avait une impossibilité matérielle –, comme je le savais pertinemment; et s'il remplissait des tâches de secrétaire pour le directeur, c'est parce qu' "aucun homme sensé ne repousse gratuitement la confiance que lui font ses supérieurs". Saisissais-je cela? Je le saisissais. Que me fallait-il de plus? Ce qu'il me fallait vraiment, grands dieux, c'était des rivets! Des rivets. Pour avancer le travail – pour boucher le trou. C'était des rivets qu'il me fallait. Il y en avait des caisses entières là-bas sur la côte – des caisses – entassées – pleines à craquer – éventrées! On ne pouvait faire deux pas dans la cour de ce poste à flanc de colline sans donner du pied dans un rivet. Des rivets avaient roulé jusque dans le bosquet de la mort. Pour se remplir les poches de rivets, on n'avait qu'à se donner la peine de se baisser – et là où il en fallait, on n'en trouvait pas un seul. Nous avions des tôles qui feraient l'affaire, mais rien pour les fixer. Et chaque semaine le courrier, un Nègre solitaire, sacoche à lettres sur l'épaule et bâton à la main, quittait notre poste pour la côte. Et plusieurs fois par semaine une caravane arrivait de la côte avec des marchandises de traite – un abominable calicot glacé qui vous donnait des frissons rien qu'à le regarder, des perles de verre valant environ trois sous le litre, de méchants mouchoirs de coton à pois. Mais de rivets, point. Trois

carriers could have brought all that was wanted to set that steamboat afloat.

'He was becoming confidential now, but I fancy my unresponsive attitude must have exasperated him at last, for he judged it necessary to inform me he feared neither God nor devil, let alone any mere man. I said I could see that very well, but what I wanted was a certain quantity of rivets – and rivets were what really Mr Kurtz wanted, if he had only known it. Now letters went to the coast every week... "My dear sir," he cried, "I write from dictation." I demanded rivets. There was a way – for an intelligent man. He changed his manner; became very cold, and suddenly began to talk about a hippopotamus; wondered whether sleeping on board the steamer (I stuck to my salvage night and day) I wasn't disturbed. There was an old hippo that had the bad habit of getting out on the bank and roaming at night over the station grounds. The pilgrims used to turn out in a body and empty every rifle they could lay hands on at him. Some even had sat up o' nights for him. All this energy was wasted, though. "That animal has a charmed life," he said; "but you can say this only of brutes in this country. No man – you apprehend me? – no man here bears a charmed life." He stood there for a moment in the moonlight with his delicate hooked nose

1. Tout ce passage est fait de variations sur le thème de la vie protégée par un charme magique, thème énoncé dans *Macbeth*, acte V, sc. VIII.

hommes auraient pu apporter tout ce dont on avait besoin pour remettre ce vapeur à flot.

« Il commençait à prendre le ton de la confidence, mais je suppose que mon attitude peu encourageante dut finir par l'exaspérer, car il jugea nécessaire de m'informer qu'il ne craignait ni Dieu ni diable, et moins encore un simple mortel, quel qu'il fût. Je lui dis que je saisissais fort bien, mais que ce qu'il me fallait, c'était une certaine quantité de rivets – et que ces rivets étaient ce qu'il fallait vraiment à M. Kurtz, même s'il ne s'en rendait pas compte. Or, des lettres partaient toutes les semaines pour la côte… "Mon cher monsieur, s'écria-t-il, j'écris ce que l'on me dicte." J'exigeai des rivets. Ce serait un moyen – pour un homme intelligent. Il changea d'attitude ; devint très froid, et se mit soudain à m'entretenir d'un hippopotame ; se demandait si, dormant à bord du vapeur (je m'accrochais à mon épave nuit et jour), je n'étais pas dérangé. Il y avait un vieil hippo qui avait la fâcheuse habitude d'émerger sur la rive et de se promener la nuit dans l'enceinte du poste. Les pèlerins ne manquaient pas de se lever comme un seul homme, et de lui décharger dessus tous les fusils sur lesquels ils pouvaient mettre la main. Certains avaient même passé des nuits debout en son honneur. Mais toute cette énergie avait été dépensée en pure perte. "La vie de cet animal est protégée par un charme, dit-il ; mais dans ce pays, cela ne peut se dire que des bêtes. La vie d'aucun homme – vous me suivez ? – d'aucun homme ici n'est protégée par un charme[1]." Il resta là pendant un moment dans le clair de lune, son fin nez

set a little askew, and his mica eyes glittering without a wink, then, with a curt Good-night, he strode off. I could see he was disturbed and considerably puzzled, which made me feel more hopeful than I had been for days. It was a great comfort to turn from that chap to my influential friend, the battered, twisted, ruined, tin-pot steamboat. I clambered on board. She rang under my feet like an empty Huntley & Palmers biscuit-tin kicked along a gutter; she was nothing so solid in make, and rather less pretty in shape, but I had expended enough hard work on her to make me love her. No influential friend would have served me better. She had given me a chance to come out a bit – to find out what I could do. No, I don't like work. I had rather laze about and think of all the fine things that can be done. I don't like work, – no man does – but I like what is in the work, – the chance to find yourself. Your own reality – for yourself, not for others – what no other man can ever know. They can only see the mere show, and never can tell what it really means.

'I was not surprised to see somebody sitting aft, on the deck, with his legs dangling over the mud. You see I rather chummed with the few mechanics there were in that station, whom the other pilgrims

busqué planté légèrement de travers, les yeux de mica brillant sans un battement de cils, puis me souhaita sèchement bonne nuit et s'éloigna à grands pas. Je voyais bien qu'il était troublé et grandement déconcerté, ce qui me donna un peu plus d'espoir que je n'en avais eu depuis des jours. Ce fut un grand réconfort de me tourner de ce bonhomme vers mon ami influent, ce pauvre bateau à vapeur en ferraille, cabossé, tordu, mis en pièces. Je grimpai à bord. Il sonnait sous mes pas comme une boîte à biscuits Huntley & Palmer en fer-blanc vide poussée à coups de pied le long d'un caniveau ; il était loin d'être aussi robuste de construction, et plutôt moins joli de forme, mais je lui avais consacré assez de rude labeur pour en faire l'objet de mon affection. Nul ami influent n'aurait pu m'être aussi utile. Il m'avait donné une occasion de me révéler un peu – de découvrir de quoi j'étais capable. Non, je n'aime pas le travail. J'aimerais autant fainéanter et rêver à tout ce que l'on peut faire de beau. Je n'aime pas le travail – personne ne l'aime – mais j'aime ce qu'il y a dans le travail – l'occasion de se découvrir. Votre propre réalité – pour vous-même, pas pour les autres – ce qu'aucun autre ne pourra jamais savoir de vous. Ils ne peuvent voir que les simples apparences extérieures, et ne pourront jamais dire ce qu'elles signifient vraiment.

« Je ne fus pas surpris de voir quelqu'un assis à l'arrière, sur le pont, les jambes ballant au-dessus de la vase. C'est que, voyez-vous, j'étais assez copain avec les quelques mécaniciens qu'il y avait dans ce poste, et que les autres pèlerins, comme

naturally despised – on account of their imperfect manners, I suppose. This was the foreman – a boiler-maker by trade – a good worker. He was a lank, bony, yellow-faced man, with big intense eyes. His aspect was worried, and his head was as bald as the palm of my hand; but his hair in falling seemed to have stuck to his chin, and had prospered in the new locality, for his beard hung down to his waist. He was a widower with six young children (he had left them in charge of a sister of his to come out there), and the passion of his life was pigeon-flying. He was an enthusiast and a connoisseur. He would rave about pigeons. After work hours he used sometimes to come over from his hut for a talk about his children and his pigeons; at work, when he had to crawl in the mud under the bottom of the steamboat, he would tie up that beard of his in a kind of white serviette he brought for the purpose. It had loops to go over his ears. In the evening he could be seen squatted on the bank rinsing that wrapper in the creek with great care, then spreading it solemnly on a bush to dry.

'I slapped him on the back and shouted "We shall have rivets!" He scrambled to his feet exclaiming "No! Rivets!" as though he couldn't believe his ears. Then in a low voice, "You… eh?" I don't know why we behaved like lunatics. I put my finger to the side of my nose and nodded mysteriously. "Good for you!" he cried, snapped his

de juste, méprisaient – à cause de leurs manières qui laissaient à désirer, je suppose. Celui-ci était le contremaître – chaudronnier de son état –, un bon ouvrier. C'était un homme décharné, osseux, au teint jaune et aux gros yeux ardents. Son expression était soucieuse, et il avait le crâne aussi dégarni que la paume de ma main ; mais ses cheveux, en tombant, semblaient s'être fixés sur son menton, et avoir prospéré dans leur nouvel emplacement, car sa barbe lui descendait jusqu'à la taille. Il était resté veuf avec six jeunes enfants (il les avait confiés à une sœur pour aller là-bas), et la passion de sa vie était la colombophilie. Il était enthousiaste, et expert. Il était fou de pigeons. Après les heures de travail, il venait parfois de sa case me voir et m'entretenir de ses enfants et de ses pigeons ; au travail, quand il lui fallait ramper dans la boue sous le fond du vapeur, il enveloppait cette fameuse barbe dans une sorte de serviette qu'il apportait tout exprès. Elle avait des boucles pour passer derrière les oreilles. Le soir, on le voyait accroupi sur la berge, rinçant cette housse dans le marigot avec grand soin, puis la mettant le plus sérieusement du monde à sécher sur un buisson.

« Je lui assenai une claque sur le dos, et criai : "On va avoir des rivets !" Il se leva précipitamment, en s'exclamant : "Non ! des rivets !" comme s'il ne pouvait en croire ses oreilles. Alors, à voix basse : "Vous… hein ?" Je ne sais pourquoi nous nous conduisîmes comme des fous. J'allongeai l'index contre mon nez et hochai du chef d'un air mystérieux. "Bien joué !" s'écria-t-il en claquant des

133

fingers above his head, lifting one foot. I tried a jig. We capered on the iron deck. A frightful clatter came out of that hulk, and the virgin forest on the other bank of the creek sent it back in a thundering roll upon the sleeping station. It must have made some of the pilgrims sit up in their hovels. A dark figure obscured the lighted doorway of the manager's hut, vanished, then, a second or so after, the doorway itself vanished, too. We stopped, and the silence driven away by the stamping of our feet flowed back again from the recesses of the land. The great wall of vegetation, an exuberant and entangled mass of trunks, branches, leaves, boughs, festoons, motionless in the moonlight, was like a rioting invasion of soundless life, a rolling wave of plants, piled up, crested, ready to topple over the creek, to sweep every little man of us out of his little existence. And it moved not. A deadened burst of mighty splashes and snorts reached us from afar, as though an ichthyosaurus had been taking a bath of glitter in the great river. "After all," said the boiler-maker in a reasonable tone, "why shouldn't we get the rivets?" Why not, indeed! I did not know of any reason why we shouldn't. "They'll come in three weeks," I said, confidently.

'But they didn't. Instead of rivets there came an invasion, an infliction, a visitation. It came in sections during the next three weeks, each section headed by a donkey carrying a white

doigts au-dessus de sa tête et en levant un pied. J'esquissai une gigue. Nous nous mîmes à gambader sur le pont de fer. Un épouvantable vacarme s'éleva de cette coque, et la forêt vierge de l'autre côté du marigot le renvoya en un roulement de tonnerre sur le poste endormi. Dans leur case cela dut faire dresser quelques pèlerins sur leur séant. Une silhouette masqua l'ouverture éclairée de la case du directeur, disparut, et une seconde ou deux plus tard, c'est l'ouverture qui disparut à son tour. Nous nous arrêtâmes, et le silence qu'avait mis en fuite le martèlement de nos pieds reflua des replis du pays. La grande muraille végétale, masse exubérante et enchevêtrée de troncs, de branches, de feuilles, de rameaux, de festons immobiles dans le clair de lune, était comme une invasion déchaînée de vie silencieuse, une vague roulante de végétation, dressée, ourlée, prête à déferler sur le marigot, à arracher tous les petits bonshommes que nous étions à leur petite existence. Et elle ne s'abattit point. Un tumulte de barbotements et de renâclements énormes nous parvint, assourdi par la distance, comme si un ichtyosaure avait pris un bain de lumière en fusion dans le grand fleuve. "Après tout, dit le chaudronnier d'un ton raisonnable, pourquoi n'obtiendrait-on pas ces rivets ?" Pourquoi, en vérité ! Je ne voyais aucune raison qui pût nous empêcher de les recevoir. "Ils arriveront dans trois semaines", dis-je avec assurance.

   « Mais ils n'arrivèrent pas. Au lieu des rivets arriva une invasion, une calamité, un fléau. Elle vint par tronçons au cours des trois semaines suivantes, chaque tronçon mené par un âne chargé d'un Blanc

man in new clothes and tan shoes, bowing from that elevation right and left to the impressed pilgrims. A quarrelsome band of footsore sulky niggers trod on the heels of the donkey; a lot of tents, campstools, tin boxes, white cases, brown bales would be shot down in the courtyard, and the air of mystery would deepen a little over the muddle of the station. Five such instalments came, with their absurd air of disorderly flight with the loot of innumerable outfit shops and provision stores, that, one would think, they were lugging, after a raid, into the wilderness for equitable division. It was an inextricable mess of things decent in themselves but that human folly made look like spoils of thieving.

'This devoted band called itself the Eldorado Exploring Expedition, and I believe they were sworn to secrecy. Their talk, however, was the talk of sordid buccaneers; it was reckless without hardihood, greedy without audacity, and cruel without courage; there was not an atom of foresight or of serious intention in the whole batch of them, and they did not seem aware these things are wanted for the work of the world. To tear treasure out of the bowels of the land was their desire, with no more moral purpose at the back of it than there is in burglars breaking into a safe. Who paid the expenses of the noble enterprise I don't know; but the uncle of our manager was leader of that lot.

vêtu de neuf et chaussé de cuir marron, saluant de cette position éminente à droite et à gauche les pèlerins impressionnés. Une troupe querelleuse de Nègres bougons aux pieds meurtris marchait sur les talons de l'âne; on flanquait par terre dans la cour quantité de tentes, de pliants, de cantines, de caisses blanches et de ballots bruns, et l'atmosphère de mystère se faisait un peu plus épaisse sur la pagaille du poste. Il arriva cinq sections de ce genre, avec cet air ridicule de s'être enfuies en désordre avec le butin pillé dans d'innombrables boutiques d'équipement et magasins de provisions; on aurait dit qu'on le traînait dans ces contrées désertes, après une razzia, pour se le partager équitablement. C'était un inextricable fouillis de choses en elles-mêmes fort honnêtes, mais auxquelles l'humaine déraison donnait l'air de produits d'un vol.

«Cette troupe zélée s'intitulait l'Expédition d'exploration de l'Eldorado, et je suis persuadé qu'on avait fait jurer le secret à ses membres. Leur conversation, cependant, était celle de sordides boucaniers : elle était insouciante mais sans hardiesse, avide sans audace et cruelle sans courage; il n'y avait pas dans tout le lot un atome de prévision ou d'intention sérieuse, et ils ne semblaient pas se douter qu'elles sont indispensables aux entreprises de ce monde. Arracher aux entrailles de la terre un trésor était tout leur désir, sans qu'il y eût là-derrière plus d'intention morale que chez des cambrioleurs forçant un coffre-fort. Qui payait les frais de cette noble entreprise, je l'ignore; mais le chef de la bande était l'oncle de notre directeur.

'In exterior he resembled a butcher in a poor neighbourhood, and his eyes had a look of sleepy cunning. He carried his fat paunch with ostentation on his short legs, and during the time his gang infested the station spoke to no one but his nephew. You could see these two roaming about all day long with their heads close together in an everlasting confab.

'I had given up worrying myself about the rivets. One's capacity for that kind of folly is more limited than you would suppose. I said Hang! – and let things slide. I had plenty of time for meditation, and now and then I would give some thought to Kurtz. I wasn't very interested in him. No. Still, I was curious to see whether this man, who had come out equipped with moral ideas of some sort, would climb to the top after all and how he would set about his work when there.'

«Extérieurement, il faisait songer à un boucher de quartier pauvre, et ses yeux avaient une expression de ruse apathique. Il promenait avec ostentation sa bedaine sur des pattes courtaudes, et pendant tout le temps que son équipe infesta le poste, il n'adressa la parole à personne, hormis son neveu. On les voyait tous deux se promener du matin au soir, têtes rapprochées en un sempiternel conciliabule.

«J'avais renoncé à me tracasser à propos des rivets. On a une capacité plus limitée que vous ne croiriez pour ce genre de bêtises. Je me dis, Au diable! et laissai courir. J'avais largement le temps de méditer, et orientais périodiquement le cours de ma pensée vers Kurtz. Il ne m'intéressait pas outre mesure. Non. Pourtant, j'étais curieux de savoir si cet homme, qui était venu d'Europe équipé d'une certaine variété de conceptions morales, finirait par se hisser tout de même au sommet, et comment, une fois parvenu là-haut, il s'attaquerait à sa tâche.»

II

'One evening as I was lying flat on the deck of my steamboat, I heard voices approaching – and there were the nephew and the uncle strolling along the bank. I laid my head on my arm again, and had nearly lost myself in a doze, when somebody said in my ear, as it were: "I am as harmless as a little child, but I don't like to be dictated to. Am I the manager – or am I not? I was ordered to send him there. It's incredible."... I became aware that the two were standing on the shore alongside the fore-part of the steamboat, just below my head. I did not move; it did not occur to me to move: I was sleepy. "It *is* unpleasant," grunted the uncle. "He has asked the Administration to be sent there," said the other, "with the idea of showing what he could do; and I was instructed accordingly. Look at the influence that man must have. Is it not frightful?" They both agreed it was frightful, then made several

II

« Un soir où j'étais étendu de tout mon long sur
le pont de mon vapeur, j'entendis des voix qui
approchaient – et voilà l'oncle et le neveu qui se
promenaient en suivant la berge. Je reposai la tête
sur le bras, et m'étais presque assoupi, quand
quelqu'un glissa, pour ainsi dire dans le creux de
mon oreille : "Je n'ai pas plus de méchanceté
qu'un petit enfant, mais je n'aime pas qu'on me
dicte ce que je dois faire. C'est moi le directeur –
oui ou non ? On m'a donné l'ordre de l'envoyer là-
bas. C'est incroyable…" Je me rendis compte que
les deux hommes étaient sur la berge, contre
l'avant du vapeur, juste au-dessous de ma tête. Je
ne bougeai pas ; il ne me vint pas à l'idée de bouger : j'étais somnolent. "C'est désagréable, en
effet, grogna l'oncle. – Il a demandé à l'Administration qu'on l'envoie là-bas, dit l'autre, avec
l'intention de montrer de quoi il est capable ; et
l'on m'a adressé les instructions en conséquence.
Regarde-moi les relations que doit avoir cet
homme. Ce n'est pas terrible ?" Tous deux convin-
rent que c'était terrible, puis émirent plusieurs

bizarre remarks: "Make rain and fine weather – one man – the Council – by the nose" – bits of absurd sentences that got the better of my drowsiness, so that I had pretty near the whole of my wits about me when the uncle said, "The climate may do away with this difficulty for you. Is he alone there?" "Yes," answered the manager; "he sent his assistant down the river with a note to me in these terms: 'Clear this poor devil out of the country, and don't bother sending more of that sort. I had rather be alone than have the kind of men you can dispose of with me.' It was more than a year ago. Can you imagine such impudence!" "Anything since then?" asked the other, hoarsely. "Ivory," jerked the nephew; "lots of it – prime sort – lots – most annoying, from him." "And with that?" questioned the heavy rumble. "Invoice," was the reply fired out, so to speak. Then silence. They had been talking about Kurtz.

'I was broad awake by this time, but, lying perfectly at ease, remained still, having no inducement to change my position. "How did that ivory come all this way?" growled the elder man, who seemed very vexed. The other explained that it had come with a fleet of canoes in charge of an English half-caste clerk Kurtz had with him; that Kurtz had apparently intended to return himself, the station being by that time bare of goods and stores, but after coming three hundred miles, had suddenly decided to go back, which he started to

expressions étranges. "Font la pluie et le beau temps – un seul homme – le Conseil – par le bout du nez" – lambeaux de phrases absurdes qui dissipèrent ma somnolence, en sorte que je n'avais plus guère l'esprit embrumé quand l'oncle dit : "Il se pourrait que le climat te débarrasse de cet obstacle. Il est seul, là-bas ? – Oui, répondit le directeur; il a renvoyé son adjoint ici par bateau, avec un mot pour moi disant ceci : 'Faites rapatrier ce pauvre diable, et ne vous fatiguez pas à m'en envoyer d'autres de cet acabit. J'aime autant être seul qu'avoir avec moi le genre d'hommes dont vous disposez.' Il y a plus d'un an de ça. Peux-tu te figurer une impudence pareille ? – Rien reçu depuis ? demanda l'autre voix rauque. – De l'ivoire, aboya le neveu; des quantités – première qualité – des quantités – très vexant, venant de lui. – Et avec ça ? s'enquit le grommellement caverneux. – La facture", la réponse claqua sèchement. Puis le silence. C'est de Kurtz qu'ils avaient parlé.

« J'étais à présent tout à fait éveillé, mais, étant allongé tout à mon aise, je demeurai immobile, n'ayant aucune raison de changer de position. "Comment cet ivoire a-t-il fait tout ce chemin ?" gronda l'aîné, qui semblait fort irrité. L'autre expliqua qu'il était arrivé avec une flottille de pirogues sous le commandement d'un commis, un métis de père anglais, que Kurtz avait avec lui; que Kurtz avait eu apparemment l'intention de revenir en personne, son poste étant alors dégarni de marchandises et de provisions, mais qu'après avoir parcouru trois cents milles, il avait brusquement décidé de rebrousser chemin, ce qu'il entreprit de

do alone in a small dugout with four paddlers, leaving the half-caste to continue down the river with the ivory. The two fellows there seemed astounded at anybody attempting such a thing. They were at a loss for an adequate motive. As to me, I seemed to see Kurtz for the first time. It was a distinct glimpse: the dugout, four paddling savages, and the lone white man turning his back suddenly on the headquarters, on relief, on thoughts of home – perhaps; setting his face towards the depths of the wilderness, towards his empty and desolate station. I did not know the motive. Perhaps he was just simply a fine fellow who stuck to his work for its own sake. His name, you understand, had not been pronounced once. He was "that man." The half-caste, who, as far as I could see, had conducted a difficult trip with great prudence and pluck, was invariably alluded to as "that scoundrel." The "scoundrel" had reported that the "man" had been very ill – had recovered imperfectly... The two below me moved away then a few paces, and strolled back and forth at some little distance. I heard: "Military post – doctor – two hundred miles – quite alone now – unavoidable delays – nine months – no news – strange rumours." They approached again, just as the manager was saying, "No one, as far as I know, unless a species of wandering trader – a pestilential fellow, snapping ivory from the natives." Who was it they were talking about now? I gathered in snatches that

faire, seul avec quatre pagayeurs dans un méchant tronc d'arbre évidé, laissant le métis continuer la descente du fleuve avec l'ivoire. Mes deux lascars paraissaient sidérés que quelqu'un risque une chose pareille. Ils n'arrivaient pas à imaginer un motif plausible. Quant à moi, j'eus pour la première fois l'impression de voir Kurtz. C'était une image précise : la petite pirogue, quatre sauvages pagayant, et le Blanc solitaire tournant tout à coup le dos au quartier général, aux secours, aux pensées du pays – peut-être ; fixant son regard vers les profondeurs du monde sauvage, vers son poste vide et désolé. J'ignorais le motif. Peut-être était-ce simplement un gaillard de belle trempe qui se cramponnait à son travail parce qu'il l'aimait. Son nom, vous saisissez, n'avait pas été prononcé une fois. Il était "cet homme". Le métis qui, à ce que je crus comprendre, avait effectué un voyage difficile avec beaucoup de prudence et de cran, était invariablement désigné comme "cette canaille". La "canaille" avait rapporté que "cet homme" avait été très malade – n'était pas complètement guéri… Les deux compères d'en dessous s'écartèrent de quelques mètres, et firent les cent pas sans beaucoup s'éloigner. J'entendis : "Poste militaire – médecin – deux cents milles – tout seul maintenant – retards inévitables – neuf mois – pas de nouvelles – des rumeurs bizarres." Ils se rapprochèrent, au moment précis où le directeur disait : "Personne, que je sache, sinon une espèce de trafiquant nomade – un ignoble individu qui arrache l'ivoire aux indigènes." De qui donc s'entretenaient-ils maintenant ? Je saisis par bribes qu'il

this was some man supposed to be in Kurtz's district, and of whom the manager did not approve. "We will not be free from unfair competition till one of these fellows is hanged for an example," he said. "Certainly," grunted the other; "get him hanged! Why not? Anything – anything can be done in this country. That's what I say; nobody here, you understand, *here*, can endanger your position. And why? You stand the climate – you outlast them all. The danger is in Europe; but there before I left I took care to –" They moved off and whispered, then their voices rose again. "The extraordinary series of delays is not my fault. I did my best." The fat man sighed. "Very sad." "And the pestiferous absurdity of his talk," continued the other; "he bothered me enough when he was here. 'Each station should be like a beacon on the road towards better things, a centre for trade of course, but also for humanizing, improving, instructing.' Conceive you – that ass! And he wants to be manager! No, it's –" Here he got choked by excessive indignation, and I lifted my head the least bit. I was surprised to see how near they were – right under me. I could have spat upon their hats. They were looking on the ground, absorbed in thought. The manager was switching his leg with a slender twig: his sagacious relative lifted his head. "You have been well since you came out this time?" he asked. The other gave a start. "Who? I? Oh! Like a charm

s'agissait de quelqu'un qui était censé se trouver dans le district de Kurtz, et qui ne plaisait pas au directeur. "Nous ne serons pas débarrassés de la concurrence déloyale aussi longtemps qu'un de ces gaillards-là n'aura pas été pendu pour l'exemple, dit-il. – Bien sûr, gronda l'autre ; fais-le pendre ! Pourquoi pas ? Dans ce pays, on peut faire n'importe quoi – n'importe quoi. C'est ce que je dis ; personne ici, dans ce pays, tu comprends, ne peut menacer ta position. Et pourquoi ? Tu supportes le climat – tu tiens plus longtemps qu'eux tous. C'est en Europe qu'est la menace ; mais avant de partir de là-bas, j'ai bien pris soin de…" Ils s'éloignèrent en chuchotant, puis leur voix se fit de nouveau plus haute. "Ce n'est pas ma faute s'il y a eu cette extraordinaire série de retards. J'ai fait mon possible. – Très fâcheux, soupira le gros. – Et l'infernale idiotie de ses discours, poursuivit l'autre ; il m'a suffisamment assommé quand il était ici. 'Chaque poste devrait être comme une balise sur la route d'un monde meilleur, un centre de commerce certes, mais aussi d'humanisation, d'amélioration, d'instruction.' Tu te rends compte – cet âne ! Et il veut être directeur ! Non, c'est…" À ce point, l'excès d'indignation l'étrangla, et je levai d'un rien la tête. Je fus surpris de voir comme ils étaient près – juste au-dessous de moi. J'aurais pu cracher sur leur chapeau. Ils regardaient par terre, perdus dans leurs pensées. Le directeur se cinglait la jambe d'une mince badine : son sagace parent leva la tête. "Tu t'es bien porté depuis ton dernier retour ici ?" s'enquit-il. L'autre sursauta : "Qui ? Moi ? Oh ! comme un charme

– like a charm. But the rest – oh, my goodness! All sick. They die so quick, too, that I haven't the time to send them out of the country – it's incredible!" "H'm. Just so," grunted the uncle. "Ah! my boy, trust to this – I say, trust to this." I saw him extend his short flipper of an arm for a gesture that took in the forest, the creek, the mud, the river – seemed to beckon with a dishonouring flourish before the sunlit face of the land a treacherous appeal to the lurking death, to the hidden evil, to the profound darkness of its heart. It was so startling that I leaped to my feet and looked back at the edge of the forest, as though I had expected an answer of some sort to that black display of confidence. You know the foolish notions that come to one sometimes. The high stillness confronted these two figures with its ominous patience, waiting for the passing away of a fantastic invasion.

'They swore aloud together – out of sheer fright, I believe – then pretending not to know anything of my existence, turned back to the station. The sun was low; and leaning forward side by side, they seemed to be tugging painfully uphill their two ridiculous shadows of unequal length, that trailed behind them slowly over the tall grass without bending a single blade.

'In a few days the Eldorado Expedition went into the patient wilderness, that closed upon it as the sea closes over a diver. Long afterwards

– comme un charme. Mais les autres – oh! mon Dieu! Tous malades. Et en plus, ils meurent tellement vite que je n'ai pas le temps de les faire évacuer du pays – c'est incroyable! – Hum. Bien ce que je me disais, grogna l'oncle. Ah! mon garçon, fie-toi à ça – crois-moi, fie-toi à ça." Je le vis étendre la courte nageoire qui lui tenait lieu de bras dans un geste qui embrassait la forêt, le marigot, la vase, le fleuve, qui semblait lancer, avec une ignoble bravade, devant la face ensoleillée de cette terre, une invite sournoise à la mort aux aguets, au mal tapi, aux profondes ténèbres de son cœur. Ce fut si saisissant que je me levai d'un bond et tournai les yeux vers la lisière de la forêt, comme si je m'attendais à ce qu'en vînt quelque forme de réponse à cette noire manifestation de confiance. Vous savez comme on se fait parfois des idées un peu folles. L'altière immobilité opposait à ces deux silhouettes une patience lourde de menaces, attendant que passât cette fantastique invasion.

«Tous deux poussèrent un juron – pure et simple frousse, j'en suis persuadé –, puis, faisant semblant de ne rien savoir de ma présence, retournèrent au poste. Le soleil était bas; et, penchés en avant, côte à côte, ils avaient l'air de monter la pente en halant péniblement leurs deux ombres ridicules, d'inégale longueur, qui traînaient lentement derrière eux sur les hautes herbes, sans en coucher le moindre brin.

«Quelques jours plus tard, l'Expédition de l'Eldorado pénétra les patientes contrées sauvages, qui se refermèrent sur elle comme la mer se referme sur un plongeur. Longtemps après

the news came that all the donkeys were dead. I know nothing as to the fate of the less valuable animals. They, no doubt, like the rest of us, found what they deserved. I did not inquire. I was then rather excited at the prospect of meeting Kurtz very soon. When I say very soon I mean it comparatively. It was just two months from the day we left the creek when we came to the bank below Kurtz's station.

'Going up that river was like travelling back to the earliest beginnings of the world, when vegetation rioted on the earth and the big trees were kings. An empty stream, a great silence, an impenetrable forest. The air was warm, thick, heavy, sluggish. There was no joy in the brilliance of sunshine. The long stretches of the waterway ran on, deserted, into the gloom of overshadowed distances. On silvery sandbanks hippos and alligators sunned themselves side by side. The broadening waters flowed through a mob of wooded islands; you lost your way on that river as you would in a desert, and butted all day long against shoals, trying to find the channel, till you thought yourself bewitched and cut off for ever from everything you had known once – somewhere – far away – in another existence perhaps. There were moments when one's past came back to one, as it will sometimes when you have not a moment to spare to yourself; but it came in the shape of an unrestful and noisy dream, remembered with

vint la nouvelle que tous les ânes étaient morts. Je ne sais rien du destin des animaux de moindre valeur. Eux aussi à coup sûr, comme nous tous, trouvèrent ce qu'ils méritaient. Je ne cherchai pas à savoir. J'étais alors passablement échauffé par la perspective de rencontrer Kurtz très bientôt. Quand je dis très bientôt, il faut l'entendre relativement. Il s'écoula exactement deux mois entre le jour où nous quittâmes le marigot et celui où nous touchâmes la rive au-dessous du poste de Kurtz.

«La remontée de ce fleuve, c'était comme une remontée aux premiers commencements du monde, au temps où la végétation se déchaînait sur la terre, où les grands arbres étaient rois. Un fleuve vide, un vaste silence, une forêt impénétrable. L'air était chaud, épais, lourd, léthargique. Il n'y avait nulle joie dans l'éclat du soleil. Les longues lignes droites de la voie d'eau couraient, désertes, se perdre dans l'obscurité des lointains ombreux. Sur des bancs de sable argenté, hippopotames et crocodiles, côte à côte, prenaient le soleil. Les eaux s'élargirent, coulant au milieu d'une foule d'îles boisées; on se perdait sur ce fleuve comme on le fait dans un désert, et l'on donnait de la proue dans les hauts-fonds du matin au soir, en essayant de trouver le chenal, jusqu'à se croire enfin ensorcelé, et coupé à jamais de tout ce qu'on avait connu jadis – quelque part – très loin – dans une autre existence peut-être. Il y avait des moments où le passé vous revenait, comme il arrive parfois quand on n'a pas un moment de libre pour soi-même; mais il revenait sous la forme d'un rêve agité et bruyant, que l'on se rappelait

wonder amongst the overwhelming realities of this strange world of plants, and water, and silence. And this stillness of life did not in the least resemble a peace. It was the stillness of an implacable force brooding over an inscrutable intention. It looked at you with a vengeful aspect. I got used to it afterwards; I did not see it any more; I had no time. I had to keep guessing at the channel; I had to discern, mostly by inspiration, the signs of hidden banks; I watched for sunken stones; I was learning to clap my teeth smartly before my heart flew out, when I shaved by a fluke some infernal sly old snag that would have ripped the life out of the tinpot steamboat and drowned all the pilgrims; I had to keep a look-out for the signs of dead wood we could cut up in the night for next day's steaming. When you have to attend to things of that sort, to the mere incidents of the surface, the reality – the reality, I tell you – fades. The inner truth is hidden – luckily, luckily. But I felt it all the same; I felt often its mysterious stillness watching me at my monkey tricks, just as it watches you fellows performing on your respective tight-ropes for – what is it? half-a-crown a tumble –'

'Try to be civil, Marlow,' growled a voice, and I knew there was at least one listener awake besides myself.

'I beg your pardon. I forgot the heartache which makes up the rest of the price. And indeed

avec incrédulité parmi les écrasantes réalités de ce monde étrange de plantes, d'eau et de silence. Et cette vie immobile ne ressemblait en rien à une paix. C'était l'immobilité d'une force implacable ruminant une intention impénétrable. Elle vous regardait avec une expression vengeresse. Par la suite, je m'y accoutumai ; je ne la voyais plus ; je n'avais pas le temps. Il me fallait sans cesse deviner où était le chenal ; je devais discerner, essentiellement grâce à l'inspiration, les signes annonciateurs de bancs invisibles ; je guettais les rochers immergés ; j'apprenais à serrer les dents vivement et à ravaler l'expression de mon émotion, quand j'esquivais, par un coup de veine, quelque maudit chicot sournois qui aurait éventré le vapeur de ferblanc et noyé tous les pèlerins ; je devais ouvrir l'œil pour ne pas laisser passer les indices de bois mort que nous débiterions à la nuit afin d'alimenter la chaudière le lendemain. Quand on doit s'occuper de choses de ce genre, de simples incidents superficiels, la réalité – la réalité, vous dis-je – pâlit. La vérité profonde est cachée – heureusement, heureusement. Mais je la sentais tout de même ; je sentais souvent sa mystérieuse immobilité qui observait mes singeries, tout comme elle observe, braves gens, votre numéro sur votre corde raide respective pour – quel est le tarif ? une demicouronne la culbute… »

« Tâchez d'être poli, Marlow », grogna une voix, et je sus qu'il y avait au moins un autre auditeur éveillé que moi.

« Je vous demande pardon. J'oubliais le chagrin qui constitue le reste du prix. Et en vérité,

what does the price matter, if the trick be well done? You do your tricks very well. And I didn't do badly either, since I managed not to sink that steamboat on my first trip. It's a wonder to me yet. Imagine a blindfolded man set to drive a van over a bad road. I sweated and shivered over that business considerably, I can tell you. After all, for a seaman, to scrape the bottom of the thing that's supposed to float all the time under his care is the unpardonable sin. No one may know of it, but you never forget the thump – eh? A blow on the very heart. You remember it, you dream of it, you wake up at night and think of it – years after – and go hot and cold all over. I don't pretend to say that steamboat floated all the time. More than once she had to wade for a bit, with twenty cannibals splashing around and pushing. We had enlisted some of these chaps on the way for a crew. Fine fellows – cannibals – in their place. They were men one could work with, and I am grateful to them. And, after all, they did not eat each other before my face: they had brought along a provision of hippo-meat which went rotten, and made the mystery of the wilderness stink in my nostrils. Phoo! I can sniff it now. I had the manager on board and three or four pilgrims with their staves – all complete. Sometimes

qu'importe le prix, si le tour est bien exécuté? Vous exécutez très bien les vôtres. Et je ne m'en suis pas mal tiré non plus, puisque je me suis débrouillé pour ne pas couler ce vapeur lors de mon premier voyage. Je n'en reviens pas encore. Imaginez un homme aux yeux bandés à qui l'on fait conduire un fourgon sur une mauvaise route. Cette affaire m'a coûté beaucoup de sueurs chaudes et froides, je puis vous l'assurer. Après tout, pour un marin, faire talonner le fond[1] à l'objet qui est censé flotter tout le temps sous sa garde, c'est le péché impardonnable. Il se peut que personne n'en sache rien, mais vous n'oubliez jamais le choc, hein? Un vrai coup au cœur. On s'en souvient, on en rêve, on se réveille la nuit et on y pense – des années après – et on en a des frissons de la tête aux pieds. Je ne vais pas prétendre que ce vapeur flottait tout le temps. Plus d'une fois, il lui a fallu patauger un brin, avec vingt cannibales autour, barbotant et poussant. Nous avions enrôlé quelques-uns de ces gaillards en route, en guise d'équipage. Des types épatants – ces cannibales – dans leur décor. C'étaient des gens avec qui l'on pouvait travailler, et je leur garde de la reconnaissance. Et, après tout, ils ne se sont pas entre-dévorés sous mes yeux : ils avaient apporté avec eux une provision de viande d'hippopotame qui se mit à pourrir, et donna au mystère du monde sauvage une puanteur qui me vint droit aux narines. Pouah! je la sens encore. J'avais à bord le directeur et trois ou quatre pèlerins avec leurs bâtons – il ne leur manquait rien. De temps à autre

1. Toucher le fond, surtout par l'arrière de la quille.

155

we came upon a station close by the bank, clinging
to the skirts of the unknown, and the white men
rushing out of a tumbledown hovel, with great
gestures of joy and surprise and welcome, seemed
very strange – had the appearance of being held
there captive by a spell. The word ivory would
ring in the air for a while – and on we went again
into the silence, along empty reaches, round the
still bends, between the high walls of our winding
way, reverberating in hollow claps the ponderous
beat of the stern-wheel. Trees, trees, millions of
trees, massive, immense, running up high; and at
their foot, hugging the bank against the stream,
crept the little begrimed steamboat, like a sluggish
beetle crawling on the floor of a lofty portico. It
made you feel very small, very lost, and yet it was
not altogether depressing, that feeling. After all, if
you were small, the grimy beetle crawled on –
which was just what you wanted it to do. Where
the pilgrims imagined it crawled to I don't know.
To some place where they expected to get something, I bet! For me it crawled towards Kurtz –
exclusively; but when the steam-pipes started
leaking we crawled very slow. The reaches opened before us and closed behind, as if the forest
had stepped leisurely across the water to bar the
way for our return. We penetrated deeper and
deeper into the heart of darkness. It was very

nous tombions sur un poste tout près de la rive, agrippé aux lisières de l'inconnu, et les Blancs qui sortaient précipitamment d'une masure à demi croulante, avec de grands gestes de joie, de surprise et de bienvenue, paraissaient très étranges – ils avaient l'air d'être tenus captifs en ce lieu par un sortilège. Le mot "ivoire" sonnait clair pendant un moment, et nous repartions dans le silence, en suivant des lignes droites désertes, des méandres tranquilles, entre les hautes murailles de notre itinéraire sinueux, qui renvoyaient en claquements caverneux les lourds battements des aubes de notre roue arrière. Des arbres, des arbres, des millions d'arbres, massifs, s'élançant très haut ; et à leur pied, serrant la berge contre le courant, rampait le petit vapeur noirci de fumée, tel un coléoptère lourdaud se traînant sur le sol d'un portique élancé. On se sentait tout petit, vraiment perdu, et cependant cette sensation n'était pas entièrement décourageante. Après tout, si l'on était petit, le coléoptère noirci continuait à ramper – ce qui était très exactement ce qu'on attendait de lui. Vers quoi rampait-il dans l'imagination des pèlerins, je ne sais. Vers quelque endroit où ils espéraient obtenir quelque chose, je parie ! Pour ma part, il rampait vers Kurtz – exclusivement ; mais quand les conduits de vapeur commencèrent à fuir, notre reptation se fit très lente. Les lignes droites s'ouvraient devant nous et se refermaient derrière, comme si la forêt avait enjambé l'eau sans se presser pour nous barrer le chemin du retour. Nous pénétrions de plus en plus profondément au cœur des ténèbres. Il y faisait très

quiet there. At night sometimes the roll of drums behind the curtain of trees would run up the river and remain sustained faintly, as if hovering in the air high over our heads, till the first break of day. Whether it meant war, peace, or prayer we could not tell. The dawns were heralded by the descent of a chill stillness; the wood-cutters slept, their fires burned low; the snapping of a twig would make you start. We were wanderers on pre-historic earth, on an earth that wore the aspect of an unknown planet. We could have fancied our-selves the first of men taking possession of an accursed inheritance, to be subdued at the cost of profound anguish and of excessive toil. But sud-denly, as we struggled round a bend, there would be a glimpse of rush walls, of peaked grass-roofs, a burst of yells, a whirl of black limbs, a mass of hands clapping, of feet stamping, of bodies swaying, of eyes rolling, under the droop of heavy and motionless foliage. The steamer toiled along slowly on the edge of a black and incomprehens-ible frenzy. The prehistoric man was cursing us, praying to us, welcoming us – who could tell? We were cut off from the comprehension of our sur-roundings; we glided past like phantoms, wonder-ing and secretly appalled, as sane men would be before an enthusiastic outbreak in a madhouse.

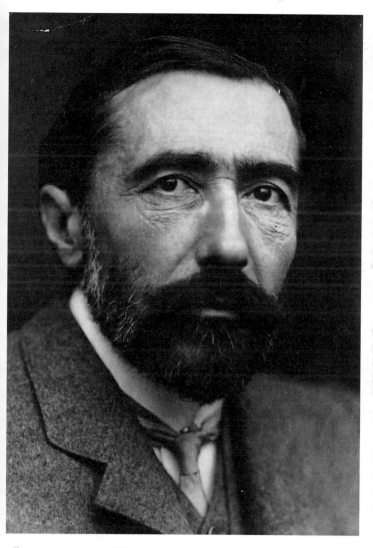

« Il se trouve que, quand j'étais gamin, j'avais une vraie passion pour les cartes géographiques. »

1   Joseph Conrad vers 1904, Bersford.

« La remontée de ce fleuve, c'était comme une remontée aux premiers commencements du monde, au temps où la végétation se déchaînait sur la terre, où les grands arbres étaient rois. Un fleuve vide, un vaste silence, une forêt impénétrable. »

« [...] on se perdait sur ce fleuve comme on le fait dans un désert, et l'on donnait de la proue dans les hauts-fonds du matin au soir, en essayant de retrouver le chenal, jusqu'à se croire enfin ensorcelé, et coupé à jamais de tout ce qu'on avait connu jadis — quelque part — très loin — dans une autre existence peut-être. »

2, 3   Paysages de la rivière Kouilou, Congo.

4 Deux pages du Journal de Conrad au Congo.

5 Le bateau *Le Roi des Belges*, avec lequel, en 1890, Conrad remonta le Congo de Kinshasa jusqu'à Stanley Falls. Collection Musée Royal d'Afrique Centrale, Tervuren.

6 Le capitaine Albert Thys, directeur général de la Société anonyme belge pour le Commerce du Haut-Congo à Bruxelles, qui employa Conrad en 1890. *Idem.*

7 Le port de Léopold-ville en 1887. *Idem.*

« Je pensais aux temps très anciens où les Romains sont arrivés ici pour la première fois, il y a dix-neuf cents ans — l'autre jour... Une lumière a rayonné à partir de ce fleuve [depuis...] »

Saturday 5th July - 96 -
Left at 6.15. Morning cool, even
cold and very damp - Sky dense-
ly overcast. Gentle breeze from NE.
Road through a narrow plain
up to R. Kwila. Swift flowing
and deep 5yds wide - Passed in
Canoes - After? up and down very
steep hills intersected by deep
ravines - Main chain of heights
running mostly NW-SE or
W and (at times. Stopped at
Manyamba -. Camp place.
bad - in a hollow - Water very
indifferent. Tents set at 10.15

Section of to days road
NWE ←←← dist? 12 m

8   Le port de Londres, peinture de Charles John de Lacy, fin du
XIXe siècle, Phillips, Son and Neale, Londres.

« Nous vivons dans cette lueur fugitive, puisse-t-elle durer aussi
longtemps que la vieille terre continuera de rouler! Mais les ténèbres, hier, régnaient ici. »

9   Eléphants dans les bas-fonds du fleuve Shire, peinture de Tho-
mas Baines, 1859, Royal Geographic Society, Londres.

En 1874, Henry Stanley partit de Zanzibar pour suivre le fleuve, des sources à l'Atlantique. En arrivant, 990 jours après, à l'embouchure du Congo, il avait ouvert la dernière région de l'Afrique Centrale qui n'était pas encore marquée sur les cartes géographiques.

10 Sir Henry Morton Stanley, vers 1871.

11 Stanley et sa caravane en Afrique Centrale, souvenir de son expédition vers les affluents du Congo en 1887, dessin de H. Meyer.

12 *Sur les rapides du Congo*, Stanley en 1874, gravure de W.H. Overend.

12

13, 14, 15   Francis Ford Coppola a transposé au Viêt-nam le voyage et la rencontre de Kurtz. Scènes extraites du film *Apocalypse Now*.

« J'étais alors passablement échauffé par la perspective de rencontrer Kurtz
très bientôt. Quand je dis très bientôt, il faut l'entendre relativement. Il
s'écoula exactement deux mois entre le jour où nous quittâmes le marigot et
celui où nous touchâmes la rive au-dessous du poste de Kurtz. »

16 Sir Roger Casement en 1906. Consul anglais à Boma, Casement décrit dans le *Congo Report* les mêmes atrocités que Conrad dénonce dans son roman. Conrad connut Casement à Matadi en 1890.

17 Porteurs de défenses au retour d'une chasse à l'éléphant.

18 La danse des morts au Congo, Paris, Société de Géographie.

19 Le comptoir de la compagnie Bondo au Congo. Collection Musée Royal d'Afrique Centrale, Bruxelles.

« Le mot "ivoire" était dans l'air, se murmurait, se soupirait. On aurait dit qu'ils lui adressaient leurs prières. »

18

« [...] près du fleuve deux silhouettes de
bronze, appuyées à de longues lances, se
dressaient debout dans le soleil, sous de fantastiques couvre-chefs de peaux tachetées,
martiales et immobiles dans leur repos statuesque. »

20   Types congolais à Stanleyville, vers 1920.

« Et, de droite à gauche le long du rivage encore éclairé, se déplaçait un personnage féminin farouche et somptueux. [...] Et dans le silence qui s'était soudain abattu sur toute la contrée affligée, l'immense nature sauvage, le corps gigantesque de la vie féconde et mystérieuse paraissait la contempler... »

21   *La femme sorcière*, peinture de Fernand Allard l'Olivier. Institut de Médecine tropicale, Anvers.

« J'ai vu le mystère inimaginable d'une âme qui ne connaissait ni retenue, ni foi, ni crainte, tout en luttant aveuglément avec elle-même. »

22   Danse indigène à l'occasion d'une fête au Congo belge, photographie du début du siècle.

Crédits photographiques

1, 10, 16 : Hulton Deutsch Picture Library. 2, 3 : M. Renaudeau/Hoa-Qui. 4, 21 : Droits réservés. 5, 6, 7, 19 : Musée Royal de l'Afrique Centrale, Tervuren, Belgique. 8, 18 : Edimedia/Bridgeman. 9 : The Bridgeman Art Library. 11, 20 : Collection Viollet. 12 : The Mansell Collection. 13, 14, 15 : Coll. Christophe L.-D.R. 17, 22, *Couverture* : Harlingue-Viollet.

tranquille. À la nuit parfois, le roulement des tambours derrière le rideau des arbres remontait le fleuve et continuait de planer faiblement, comme s'il flottait en l'air, très haut sur nos têtes, jusqu'au point du jour. S'il était signe de guerre, de paix ou de prière, nous étions incapables de le dire. L'aube était annoncée par la descente d'un silence à la fraîcheur pénétrante ; les bûcherons dormaient, leurs feux se consumaient ; le craquement d'une brindille vous faisait sursauter. Nous avancions à l'aventure sur une terre préhistorique, sur une terre qui offrait l'aspect d'une planète inconnue. Nous aurions pu nous prendre pour les premiers hommes entrant en possession d'un héritage maudit, dont il fallait se rendre maître au prix d'un profond tourment et d'un labeur excessif. Mais tout à coup, comme nous franchissions un coude à grand-peine, un coup d'œil révélait des murs de jonc, des toits de paille pointus, une explosion de cris, un tourbillon de membres noirs, une masse de mains qui claquaient, de pieds qui frappaient le sol, de corps qui oscillaient, sous le dais de feuillage lourd et immobile. Le vapeur avançait laborieusement au bord d'une frénésie noire et incompréhensible. L'homme préhistorique nous adressait ses malédictions, ses prières, ses souhaits de bienvenue – qui pouvait le dire ? Nous étions totalement coupés de la compréhension de ce qui nous entourait ; nous passions doucement, tels des fantômes, perplexes et secrètement épouvantés, comme le seraient des gens saints d'esprit devant un débordement d'enthousiasme subit dans une maison de fous.

We could not understand because we were too far and could not remember, because we were travelling in the night of first ages, of those ages that are gone, leaving hardly a sign – and no memories.

'The earth seemed unearthly. We are accustomed to look upon the shackled form of a conquered monster, but there – there you could look at a thing monstrous and free. It was unearthly, and the men were – No, they were not inhuman. Well, you know, that was the worst of it – this suspicion of their not being inhuman. It would come slowly to one. They howled and leaped, and spun, and made horrid faces; but what thrilled you was just the thought of their humanity – like yours – the thought of your remote kinship with this wild and passionate uproar. Ugly. Yes, it was ugly enough; but if you were man enough you would admit to yourself that there was in you just the faintest trace of a response to the terrible frankness of that noise, a dim suspicion of there being a meaning in it which you – you so remote from the night of first ages – could comprehend. And why not? The mind of man is capable of anything – because everything is in it, all the past as well as all the future. What was there after all? Joy, fear, sorrow, devotion, valour, rage – who can tell? – but truth – truth stripped of its cloak of time. Let the fool gape and shudder – the man knows,

Nous ne pouvions pas comprendre parce que nous étions trop loin et ne pouvions nous rappeler, parce que nous parcourions la nuit des premiers âges, de ces âges qui ont disparu, ne laissant guère de signes – et aucun souvenir.

« La terre paraissait un autre monde. Nous sommes accoutumés à regarder le corps entravé d'un monstre vaincu, mais là-bas – là-bas on avait sous les yeux une chose monstrueuse, et en liberté. C'était un autre monde, et les hommes étaient – non, ils n'étaient pas inhumains. Eh bien, voyez-vous, c'était ça le pire – se douter qu'ils n'étaient pas inhumains. Ça vous venait tout doucement. Ils hurlaient et bondissaient, et tournoyaient et faisaient d'horribles grimaces ; mais ce qui vous faisait frémir, c'était précisément l'idée de leur humanité – semblable à la vôtre – la pensée de votre lointaine parenté avec ce tumulte effréné et passionné. Affreux. Oui, c'était assez affreux ; mais si vous étiez assez viril, vous reconnaissiez en votre for intérieur qu'il y avait en vous rien qu'un soupçon de corde sensible à la terrible franchise de ce bruit, une vague notion qu'il recelait une signification que vous – vous si éloigné de la nuit des premiers âges – pouviez saisir. Et pourquoi pas ? L'esprit de l'homme est capable de tout – parce que tout y est contenu, tout le passé comme tout l'avenir. Qu'y avait-il là-dedans après tout ? De la joie, de la peur, du chagrin, du dévouement, du courage, de la fureur – qui peut le dire ? – mais de la vérité – de la vérité dépouillée de son manteau de temps. Que l'imbécile reste bouche bée, en proie aux frissons – l'homme digne de ce nom sait,

and can look on without a wink. But he must at least be as much of a man as these on the shore. He must meet that truth with his own true stuff – with his own inborn strength. Principles won't do. Acquisitions, clothes, pretty rags – rags that would fly off at the first good shake. No; you want a deliberate belief. An appeal to me in this fiendish row – is there? Very well; I hear; I admit, but I have a voice, too, and for good or evil mine is the speech that cannot be silenced. Of course, a fool, what with sheer fright and fine sentiments, is always safe. Who's that grunting? You wonder I didn't go ashore for a howl and a dance? Well, no – I didn't. Fine sentiments, you say? Fine sentiments, be hanged! I had no time. I had to mess about with white-lead and strips of woollen blanked helping to put bandages on those leaky steampipes – I tell you. I had to watch the steering, and circumvent those snags, and get the tin-pot along by hook or by crook. There was surface-truth enough in these things to save a wiser man. And between whiles I had to look after the savage who was fireman. He was an improved specimen; he could fire up a vertical boiler. He was there below me, and, upon my word, to look at him was as edifying as seeing a dog in a parody of breeches and a feather hat,

et peut continuer de regarder sans ciller. Mais il lui faut être au moins autant homme que ces gens de la rive. Il lui faut affronter cette vérité avec sa véritable étoffe à lui – avec sa propre force innée. Des principes ? Les principes ne suffiront pas. Ce ne sont que des biens acquis, des vêtements, de jolis chiffons – des chiffons qui s'envoleraient à la première bonne secousse. Non ; il vous faut une conviction délibérée. Quelque chose m'attire dans ce tapage démoniaque – c'est ça ? Très bien ; je l'entends ; je le reconnais, mais moi aussi j'ai ma voix, et pour le bien ou pour le mal, c'est ma parole et elle ne peut être réduite au silence. Naturellement, un imbécile, entre la simple frousse et les beaux sentiments, est toujours à l'abri. Qui est-ce qui grommelle ? Vous vous demandez si je ne suis pas descendu à terre pour hurler et danser ? Eh bien, non – je ne l'ai pas fait. Les beaux sentiments, dites-vous ? Au diable les beaux sentiments ! Je n'avais pas le temps. Je devais bricoler avec de la céruse et des lambeaux de couverture de laine pour aider à colmater ces conduits de vapeur qui fuyaient – figurez-vous. Je devais surveiller l'homme de barre, et déjouer les pièges de ces chicots, et faire avancer par tous les moyens la marmite de fer-blanc. Il y avait assez de vérité superficielle dans tout cela pour sauver un homme plus avisé. Et entre-temps je devais veiller sur le sauvage qui était chauffeur. C'était un spécimen amélioré ; il était capable d'alimenter une chaudière verticale. Il était là, au-dessous de moi, et, ma parole, le regarder était aussi édifiant que de voir un chien, affublé de culottes et d'un chapeau à plume,

walking on his hind-legs. A few months of training had done for that really fine chap. He squinted at the steam-gauge and at the water-gauge with an evident effort of intrepidity – and he had filed teeth, too, the poor devil, and the wool of his pate shaved into queer patterns, and three ornamental scars on each of his cheeks. He ought to have been clapping his hands and stamping his feet on the bank, instead of which he was hard at work, a thrall to strange witchcraft, full of improving knowledge. He was useful because he had been instructed; and what he knew was this – that should the water in that transparent thing disappear, the evil spirit inside the boiler would get angry through the greatness of his thirst, and take a terrible vengeance. So he sweated and fired up and watched the glass fearfully (with an impromptu charm, made of rags, tied to his arm, and a piece of polished bone, as big as a watch, stuck flatways through his lower lip), while the wooded banks slipped past us slowly, the short noise was left behind, the interminable miles of silence – and we crept on, towards Kurtz. But the snags were thick, the water was treacherous and shallow, the boiler seemed indeed to have a sulky devil in it, and thus neither that fireman nor I had any time to peer into our creepy thoughts.

'Some fifty miles below the Inner Station we came upon a hut of reeds, an inclined and melan-

marcher sur ses pattes de derrière. Quelques mois d'entraînement avaient suffi à ce gaillard qui était vraiment très bien. Il louchait sur le manomètre à vapeur et sur le niveau d'eau avec un effort manifeste pour se montrer intrépide – et il avait les dents limées, avec ça, le pauvre diable, et la laine de sa caboche rasée en motifs bizarres, et trois cicatrices décoratives sur chaque joue. Il aurait dû être en train de battre des mains et de frapper des pieds sur la berge, au lieu de quoi il trimait, esclave d'une sorcellerie étrange, plein d'un savoir édifiant. Il était utile parce qu'il avait été instruit; et ce qu'il savait était ceci – que si l'eau disparaissait de cette chose transparente, l'esprit mauvais à l'intérieur de la chaudière se mettrait en colère, tant sa soif était grande, et exercerait une terrible vengeance. Alors il transpirait, alimentait le foyer et surveillait craintivement le verre (avec un gri-gri improvisé, fait de chiffons, noué à son bras, et un morceau d'os poli, gros comme une montre de gousset, inséré à plat dans sa lèvre inférieure), tandis que les rives boisées défilaient lentement à côté de nous, que le vacarme éphémère était laissé derrière nous, avec les lieux interminables de silence – et que nous avancions en nous traînant vers Kurtz. Mais les chicots étaient serrés, l'eau traîtresse et peu profonde, la chaudière paraissait vraiment habitée par un diable bougon, en sorte que ni le chauffeur ni moi n'avions une seconde pour scruter nos pensées inquiétantes.

« À quelque cinquante milles au-dessous du poste de l'intérieur, nous tombâmes sur une hutte de roseaux, un mât de guingois, mélan-

choly pole, with the unrecognizable tatters of what had been a flag of some sort flying from it, and a neatly stacked wood-pile. This was unexpected. We came to the bank, and on the stack of firewood found a flat piece of board with some faded pencil-writing on it. When deciphered it said: "Wood for you. Hurry up. Approach cautiously." There was a signature, but it was illegible – not Kurtz – a much longer word. Hurry up. Where? Up the river? "Approach cautiously." We had not done so. But the warning could not have been meant for the place where it could be only found after approach. Something was wrong above. But what – and how much? That was the question. We commented adversely upon the imbecility of that telegraphic style. The bush around said nothing, and would not let us look very far, either. A torn curtain of red twill hung in the doorway of the hut, and flapped sadly in our faces. The dwelling was dismantled; but we could see a white man had lived there not very long ago. There remained a rude table – a plank on two posts; a heap of rubbish reposed in a dark corner, and by the door I picked up a book. It had lost its covers, and the pages had been thumbed into a state of extremely dirty soft-ness; but the back had been lovingly stitched afresh with white cotton thread, which looked clean yet.

colique, où flottaient les lambeaux méconnais-
sables de ce qui avait été une espèce de drapeau,
et un tas de bois proprement empilé. Voilà qui
était inattendu. Nous accostâmes, et trouvâmes sur
le tas de bois de chauffe un morceau de planche
lisse où des caractères pâlis avaient été tracés au
crayon. Une fois déchiffrés, ils donnaient ceci :
"Du bois pour vous. Hâtez-vous. Approchez avec
précaution." Il y avait une signature, mais elle était
illisible – non pas Kurtz – un mot beaucoup plus
long. Se hâter. Où ? En amont ? "Approchez avec
précaution." Ce n'était pas ce que nous avions fait.
Mais l'avertissement ne pouvait viser l'endroit où
l'on n'aurait su le trouver sans s'être d'abord
approché. Quelque chose n'allait pas plus haut sur
le fleuve. Mais quoi – et jusqu'à quel point ? Telle
était la question. Nous échangeâmes des commentaires peu amènes sur l'imbécillité de ce style télé-
graphique. La brousse alentour ne disait rien, et
ne nous permettait pas non plus de regarder bien
loin. Un rideau déchiré en croisé de coton rouge
pendait au chambranle de la porte, et nous battait
tristement au nez. L'habitation était délabrée ;
mais on voyait qu'un Blanc y avait vécu assez peu
de temps auparavant. Il restait une table grossière
– un madrier sur deux poteaux ; un tas de détritus
gisait dans un coin sombre, et près de la porte je
ramassai un livre. Il avait perdu sa couverture, et
les pages avaient été si souvent feuilletées qu'elles
en étaient arrivées à un état de saleté et de ramol-
lissement prononcés ; mais le dos en avait été
amoureusement recousu à grands points avec du
fil de coton blanc, qui paraissait encore propre.

It was an extraordinary find. Its title was, *An Inquiry into some Points of Seamanship*, by a man, Towser, Towson – some such name – Master in His Majesty's Navy. The matter looked dreary reading enough, with illustrative diagrams and repulsive tables of figures, and the copy was sixty years old. I handled this amazing antiquity with the greatest possible tenderness, lest it should dissolve in my hands. Within, Towson or Towser was inquiring earnestly into the breaking strain of ships' chains and tackle, and other such matters. Not a very enthralling book; but at the first glance you could see there a singleness of intention, an honest concern for the right way of going to work, which made these humble pages, thought out so many years ago, luminous with another than a professional light. The simple old sailor, with his talk of chains and purchases, made me forget the jungle and the pilgrims in a delicious sensation of having come upon something unmistakably real. Such a book being there was wonderful enough; but still more astounding were the notes pencilled in the margin, and plainly referring to the text. I couldn't believe my eyes! They were in cipher! Yes,

C'était une trouvaille extraordinaire. Son titre était *Enquête sur quelques points de l'art de la navigation*, par un nommé Towser, Towson – un nom dans ce genre-là –, capitaine de frégate dans la marine de Sa Majesté le roi[1]. Le contenu semblait plutôt aride, avec ses schémas explicatifs et ses abaques[2] rébarbatifs, et cet exemplaire avait soixante ans d'âge. Je maniai cette étonnante antiquité avec la plus précautionneuse tendresse, de peur qu'elle ne me fondît entre les mains. Towson ou Towser y étudiait fort sérieusement la tension de rupture des chaînes et palans de navires, et autres sujets analogues. Un livre pas très captivant ; mais on voyait au premier coup d'œil qu'il y avait là une probité d'intention, une honnête préoccupation de la meilleure façon de s'y prendre, qui donnait à ces humbles pages, méditées tant d'années auparavant, un éclat tout autre que les simples lumières du métier. Le vieux marin sans affectation, parlant de chaînes et de palans, me fit oublier la jungle et les pèlerins, en une délicieuse sensation d'être tombé sur quelque chose d'indubitablement réel. Qu'un tel livre se trouvât là était déjà assez extraordinaire ; mais plus stupéfiantes encore étaient les notes crayonnées dans la marge, et se rapportant de toute évidence au texte. Je ne pouvais en croire mes yeux ! Elles étaient en écriture chiffrée ! Oui,

---

1. Le texte emploie ici l'expression doublement archaïque *Master in His Majesty's Navy*. *Master* ne s'employait plus depuis longtemps pour désigner le grade de capitaine, et Victoria était sur le trône depuis plus de soixante ans.
2. Graphiques permettant de résoudre des calculs.

it looked like cipher. Fancy a man lugging with him a book of that description into this nowhere and studying it – and making notes – in cipher at that! It was an extravagant mystery.

'I had been dimly aware for some time of a worrying noise, and when I lifted my eyes I saw the wood-pile was gone, and the manager, aided by all the pilgrims, was shouting at me from the riverside. I slipped the book into my pocket. I assure you to leave off reading was like tearing myself away from the shelter of an old and solid friendship.

'I started the lame engine ahead. "It must be this miserable trader – this intruder," exclaimed the manager, looking back malevolently at the place we had left. "He must be English," I said. "It will not save him from getting into trouble if he is not careful," muttered the manager darkly. I observed with assumed innocence that no man was safe from trouble in this world.

'The current was more rapid now, the steamer seemed at her last gasp, the stern-wheel flopped languidly, and I caught myself listening on tiptoe for the next beat of the boat, for in sober truth I expected the wretched thing to give up every moment. It was like watching the last flickers of a life. But still we crawled. Sometimes I would pick out a tree a little way ahead to measure our

cela avait tout l'air d'un chiffre. Imaginez l'individu capable de traîner avec lui un livre de cette espèce dans ce bout du monde, l'étudiant – l'annotant – en écriture chiffrée par-dessus le marché! C'était un mystère abracadabrant.

« J'avais vaguement conscience, depuis un certain temps, d'un bruit agaçant, et, quand je levai les yeux, je vis que le tas de bois avait disparu, et le directeur, assisté de tous les pèlerins, m'appelait à grands cris de la berge. Je glissai le livre dans ma poche. Je vous assure que cesser ma lecture me fit l'effet de m'arracher à la protection d'une vieille et solide amitié.

« Je remis la machine éclopée en marche avant. "Ce doit être ce misérable trafiquant – cet intrus, s'exclama le directeur, jetant un regard venimeux à l'endroit que nous venions de quitter. – Ce doit être un Anglais, dis-je. – Ça ne l'empêchera pas d'avoir des ennuis s'il ne fait pas attention", marmonna le directeur menaçant. Je fis remarquer, avec une feinte innocence, que personne ici-bas n'est à l'abri des ennuis.

« Le courant était désormais plus rapide, le vapeur semblait prêt à rendre le dernier soupir, la roue arrière frappait l'eau avec langueur, et je me surpris à tendre l'oreille anxieusement pour saisir le battement suivant, car en toute sincérité je m'attendais à voir ce maudit engin expirer d'un instant à l'autre. C'était comme lorsqu'on guette les dernières palpitations d'une vie qui s'en va. Mais on continuait tout de même à ramper. Parfois, des yeux je choisissais un arbre un peu en amont comme repère, afin de mesurer notre

progress towards Kurtz by, but I lost it invariably before we got abreast. To keep the eyes so long on one thing was too much for human patience. The manager displayed a beautiful resignation. I fretted and fumed and took to arguing with myself whether or no I would talk openly with Kurtz; but before I could come to any conclusion it occurred to me that my speech or my silence, indeed any action of mine, would be a mere futility. What did it matter what anyone knew or ignored? What did it matter who was manager? One gets sometimes such a flash of insight. The essentials of this affair lay deep under the surface, beyond my reach, and beyond my power of meddling.

'Towards the evening of the second day we judged ourselves about eight miles from Kurtz's station. I wanted to push on; but the manager looked grave, and told me the navigation up there was so dangerous that it would be advisable, the sun being very low already, to wait where we were till next morning. Moreover, he pointed out that if the warning to approach cautiously were to be followed, we must approach in daylight – not at dusk, or in the dark. This was sensible enough. Eight miles meant nearly three hours' steaming for us, and I could also see suspicious ripples at the upper end of the reach. Nevertheless,

avance en direction de Kurtz, mais je le perdais toujours avant d'être arrivé à sa hauteur. Garder les yeux rivés si longtemps sur un même objet était trop demander à l'humaine patience. Le directeur faisait montre d'une belle résignation. Je me faisais du mauvais sang, et me mis à débattre avec moi-même pour savoir si je parlerais ouvertement à Kurtz, ou non ; mais avant d'être parvenu à une quelconque conclusion, il me vint à l'esprit que le fait de parler ou de me taire, que toute action de ma part, à vrai dire, ne pouvait être d'aucune conséquence. Quelle importance, si l'on savait ou ne savait pas quelque chose ? Quelle importance, que l'un ou l'autre soit directeur ? On a parfois de ces illuminations. Dans cette affaire, les choses sérieuses étaient enfouies loin sous la surface, hors de ma portée, et hors de ma faculté d'interven-tion.

« Vers le soir du second jour, nous estimions être à huit milles environ du poste de Kurtz. Je voulais pousser plus avant ; mais le directeur prit un air pénétré, et me dit que la navigation, dans ces parages, était si dangereuse qu'il serait judi-cieux, le soleil étant déjà très bas, d'attendre là où nous étions jusqu'au lendemain matin. Il souli-gna, en outre, que si nous devions tenir compte de l'avertissement qui nous avait été donné d'approcher avec précaution, c'était de jour qu'il fallait le faire – non au crépuscule ni à la nuit tom-bée. Ce qui était assez raisonnable. Huit milles représentaient pour nous près de trois heures de route, et puis je voyais des vaguelettes suspectes avant la prochaine boucle du fleuve. Néanmoins,

173

I was annoyed beyond expression at the delay, and most unreasonably, too, since one night more could not matter much after so many months. As we had plenty of wood, and caution was the word, I brought up in the middle of the stream. The reach was narrow, straight, with high sides like a railway cutting. The dusk came gliding into it long before the sun had set. The current ran smooth and swift, but a dumb immobility sat on the banks. The living trees, lashed together by the creepers and every living bush of the undergrowth, might have been changed into stone, even to the slenderest twig, to the lightest leaf. It was not sleep – it seemed unnatural, like a state of trance. Not the faintest sound of any kind could be heard. You looked on amazed, and began to suspect yourself of being deaf – then the night came suddenly, and struck you blind as well. About three in the morning some large fish leaped, and the loud splash made me jump as though a gun had been fired. When the sun rose there was a white fog, very warm and clammy, and more blinding than the night. It did not shift or drive; it was just there, standing all round you like something solid. At eight or nine, perhaps, it lifted as a shutter lifts. We had a glimpse of the towering multitude of trees, of the immense matted jungle, with the blazing little

cette remise au lendemain me contraria au-delà de toute expression, et de façon tout à fait déraisonnable par-dessus le marché, puisque au bout de tant de mois une nuit de plus ne pouvait pas faire grande différence. Comme nous avions du bois en abondance, et que le mot d'ordre était prudence, je mouillai au milieu du fleuve. Nous étions dans une partie étroite, rectiligne, bordée de hauts talus comme une tranchée de chemin de fer. L'ombre s'y glissa bien avant le coucher du soleil. Le courant était régulier et rapide, mais une immobilité muette pesait sur les rives. Les arbres pleins de sève, liés ensemble par des lianes, et tous les arbustes pleins de sève du taillis semblaient s'être transformés en pierre, jusqu'à la plus menue brindille, à la feuille la plus légère. Ce n'était pas du sommeil – cela paraissait anormal, comme un état d'hypnose. On n'entendait pas le moindre bruit d'aucune sorte. On écarquillait les yeux, stupéfait, en commençant à se demander si l'on était devenu sourd – puis la nuit tomba d'un coup, et nous frappa également de cécité. Vers trois heures du matin un gros poisson bondit, et le claquement retentissant me fit sauter comme si l'on avait tiré le canon. Quand le soleil se leva, il y avait un brouillard blanc, très chaud et poisseux, et plus aveuglant que la nuit. Il ne bougeait ni ne dérivait; il restait simplement là, nous enveloppant comme d'une substance solide. À huit ou neuf heures peut-être il se leva comme un rideau métallique. Nous eûmes un aperçu de la multitude d'arbres immenses, du gigantesque enchevêtrement de la jungle, au-dessus desquels était suspendue la petite

175

ball of the sun hanging over it – all perfectly still – and then the white shutter came down again, smoothly, as if sliding in greased grooves. I ordered the chain, which we had begun to heave in, to be paid out again. Before it stopped running with a muffled rattle, a cry, a very loud cry, as of infinite desolation, soared slowly in the opaque air. It ceased. A complaining clamour, modulated in savage discords, filled our ears. The sheer unexpectedness of it made my hair stir under my cap. I don't know how it struck the others: to me it seemed as though the mist itself had screamed, so suddenly, and apparently from all sides at once, did this tumultuous and mournful uproar arise. It culminated in a hurried outbreak of almost intolerably excessive shrieking, which stopped short, leaving us stiffened in a variety of silly attitudes, and obstinately listening to the nearly as appalling and excessive silence. "Good God! What is the meaning –" stammered at my elbow one of the pilgrims, – a little fat man, with sandy hair and red whiskers, who wore side-spring boots, and pink pyjamas tucked into his socks. Two others remained open-mouthed a whole minute, then dashed into the little cabin,

boule incandescente du soleil – tout cela parfaitement immobile –, puis le rideau blanc retomba, sans un à-coup, comme s'il coulissait dans des rainures bien huilées. Je donnai l'ordre de laisser filer de nouveau la chaîne de l'ancre que nous avions commencé à virer[1]. Avant qu'elle n'eût fini de courir avec un cliquetis assourdi, un cri très perçant, comme le cri d'une infinie désolation, s'éleva lentement dans l'air opaque. Il cessa. Une clameur de lamentation, modulée en dissonances barbares, nous emplit les oreilles. C'était si parfaitement inattendu que mes cheveux se hérissèrent sous la casquette. Je ne sais quel effet cela fit aux autres : pour moi, j'eus l'impression que le brouillard lui-même avait crié, tant ce vacarme tumultueux et funèbre avait été soudain et avait paru venir de tous les côtés à la fois. Il culmina en un déchaînement précipité de hurlements aigus à l'intensité presque intolérable, qui s'arrêta de façon abrupte, nous laissant figés dans toutes sortes d'attitudes stupides, écoutant obstinément le silence à peu près aussi effroyable et aussi intense. "Grands dieux ! qu'est-ce que cela signifie…?" balbutia à côté de moi l'un des pèlerins – un petit bonhomme dodu, aux cheveux blond-roux et aux favoris poil de carotte, qui portait des bottines à soufflet et un pyjama rose rentré dans ses chaussettes. Deux autres restèrent bouche bée une pleine minute, puis se précipitèrent dans la petite cabine,

1. Virer (au cabestan), c'est faire fonctionner le cabestan autour duquel s'enroule la chaîne, pour lever l'ancre ou s'en rapprocher.

to rush out incontinently and stand darting scared glances, with Winchesters at "ready" in their hands. What we could see was just the steamer we were on, her outlines blurred as though she had been on the point of dissolving, and a misty strip of water, perhaps two feet broad, around her – and that was all. The rest of the world was nowhere, as far as our eyes and ears were concerned. Just nowhere. Gone, disappeared; swept off without leaving a whisper or a shadow behind.

'I went forward, and ordered the chain to be hauled in short, so as to be ready to trip the anchor and move the steamboat at once if necessary. "Will they attack?" whispered an awed voice. "We will be all butchered in this fog," murmured another. The faces twitched with the strain, the hands trembled slightly, the eyes forgot to wink. It was very curious to see the contrast of expressions of the white men and of the black fellows of our crew, who were as much strangers to that part of the river as we, though their homes were only eight hundred miles away. The whites, of course greatly discomposed, had besides a curious look of being painfully shocked by such an outrageous row. The others had an alert, naturally interested expression; but their faces were essentially quiet,

pour en ressortir incontinent et rester là à lancer des regards apeurés, étreignant des Winchester prêts à faire feu. Tout ce que l'on voyait, c'était le vapeur à bord duquel nous étions, les contours estompés comme s'il était sur le point de se dissoudre, et une bande d'eau embrumée, large peut-être de soixante centimètres, tout autour – rien d'autre. Le reste du monde n'était nulle part, s'il fallait en croire nos yeux et nos oreilles. Simplement nulle part. Disparu, évanoui; balayé sans laisser derrière lui un chuchotis ou une ombre.

« J'allai à l'avant, et donnai l'ordre de virer la chaîne à pic[1], de manière à être prêt à déraper l'ancre[2] et à déplacer le vapeur immédiatement en cas de nécessité. "Ils vont attaquer?" souffla une voix apeurée. "On va tous se faire massacrer dans ce brouillard", murmura une autre. Les visages se crispaient sous la tension, les mains tremblaient légèrement, les yeux oubliaient de ciller. C'était très curieux de voir le contraste entre les Blancs et les gaillards de notre équipage noir, qui étaient aussi étrangers que nous à cette partie du fleuve, même s'ils ne se trouvaient qu'à huit cents milles de chez eux. Les Blancs, qui étaient naturellement en grand désarroi, avaient en outre un drôle d'air d'être péniblement affectés par un chahut aussi scandaleux. Les autres avaient une expression alerte, de naturel intérêt; mais leurs visages étaient surtout tranquilles,

1. Virer sur une ancre de façon que le câble soit en position verticale.
2. Arracher l'ancre (et surtout, s'il y en a plus d'une, la dernière ancre) de l'endroit où elle était mouillée, pour pouvoir appareiller.

even those of the one or two who grinned as they hauled at the chain. Several exchanged short, grunting phrases, which seemed to settle the matter to their satisfaction. Their headman, a young, broad-chested black, severely draped in dark-blue fringed cloths, with fierce nostrils and his hair all done up artfully in oily ringlets, stood near me. "Aha!" I said, just for good fellowship's sake. "Catch 'im," he snapped, with a bloodshot widening of his eyes and a flash of sharp teeth – "catch 'im. Give 'im to us." "To you, eh?" I asked; "what would you do with them?" "Eat 'im!" he said, curtly, and, leaning his elbow on the rail, looked out into the fog in a dignified and profoundly pensive attitude. I would no doubt have been properly horrified, had it not occurred to me that he and his chaps must be very hungry: that they must have been growing increasingly hungry for at least this month past. They had been engaged for six months (I don't think a single one of them had any clear idea of time, as we at the end of countless ages have. They still belonged to the beginnings of time – had no inherited experience to teach them, as it were), and, of course, as long as there was a piece of paper written over in accordance with some farcical law or other made down the river, it didn't enter anybody's head to trouble how they would live. Certainly they had brought with them some rotten hippo-meat, which

même si un ou deux d'entre eux grimaçaient un peu en halant la chaîne. Plusieurs échangèrent quelques grognements, et ces lambeaux de phrases semblèrent régler la question à leur complète satisfaction. Leur chef, un jeune Noir à la large poitrine, sévèrement drapé dans des tissus à franges bleu foncé, les narines farouches et la chevelure entière artistement coiffée en bouclettes enduites de graisse, était debout à mes côtés. "Aha! dis-je, par simple esprit de camaraderie. – Att'apez-les, dit-il d'un ton saccadé, en écarquillant des yeux injectés de sang, dans un éclair de dents pointues – att'apez-les. Donnez-les à nous. – À vous, hein? demandai-je : qu'est-ce que vous en feriez? – Les manger", dit-il brièvement, et, s'accoudant à la lisse, il scruta le brouillard dans une attitude digne et profondément pensive. J'aurais sans doute été horrifié comme il convient, si l'idée ne m'était venue que lui et ses hommes devaient avoir grand-faim : que leur faim devait s'être creusée au moins pendant le mois qui venait de s'écouler. Ils avaient été engagés pour six mois (je ne crois pas qu'un seul d'entre eux ait eu une notion un peu claire du temps, comme celle qui est nôtre au terme de siècles sans nombre; ils en étaient au début du temps – n'avaient pour ainsi dire pas d'expérience héréditaire pour la leur enseigner), et naturellement, dès l'instant qu'il y avait un papier dûment rempli en conformité avec telle ou telle loi bouffonne édictée plus bas sur le fleuve, personne ne songeait à se soucier de savoir comment ils vivraient. Ils avaient, certes, apporté avec eux de la viande d'hippopotame pourrie, qui

couldn't have lasted very long, anyway, even if the pilgrims hadn't, in the midst of a shocking hullabaloo, thrown a considerable quantity of it overboard. It looked like a high-handed proceeding; but it was really a case of legitimate self-defence. You can't breathe dead hippo waking, sleeping, and eating, and at the same time keep your precarious grip on existence. Besides that, they had given them every week three pieces of brass wire, each about nine inches long; and the theory was they were to buy their provisions with that currency in river-side villages. You can see how *that* worked. There were either no villages, or the people were hostile, or the director, who like the rest of us fed out of tins, with an occasional old he-goat thrown in, didn't want to stop the steamer for some more or less recondite reason. So, unless they swallowed the wire itself, or made loops of it to snare the fishes with, I don't see what good their extravagant salary could be to them. I must say it was paid with a regularity worthy of a large and honourable trading company. For the rest, the only thing to eat – though it didn't look eatable in the least – I saw in their possession was a few lumps of some stuff like half-cooked dough, of a dirty lavender colour, they kept wrapped in leaves, and now and then swallowed a piece of, but so small that it seemed

n'aurait pas pu leur durer très longtemps de toute façon, même si les pèlerins n'en avaient, parmi un tohu-bohu peu édifiant, jeté la majeure partie pardessus bord. Le procédé paraissait arbitraire ; mais c'était vraiment un cas de légitime défense. On ne peut à la fois respirer du cadavre d'hippopotame pendant la veille, le sommeil et les repas, et conserver une prise précaire sur l'existence. À part ça, on leur avait donné par semaine trois morceaux de fil de laiton, longs d'environ neuf pouces chacun ; et le principe voulait qu'ils achètent leurs provisions avec cette monnaie d'échange dans les villages riverains. Vous voyez d'ici comment marchait ce système-là. Ou bien il n'y avait pas de villages, ou bien leurs habitants étaient hostiles, ou bien encore le directeur, qui comme nous tous se nourrissait de boîtes de conserve, avec à l'occasion un vieux bouc pour faire l'appoint, refusait d'arrêter le vapeur pour quelque raison plus ou moins obscure. En sorte que je ne vois pas, à moins d'avaler le fil de métal lui-même, ou d'en faire des boucles pour attraper les poissons au collet, de quelle utilité pouvait leur être ce salaire munificent. Je dois dire qu'il était versé avec une régularité digne d'une grande et honorable société commerciale. Quant au reste, la seule chose à manger – bien qu'elle n'eût pas le moins du monde l'air comestible – que j'aie vue en leur possession, c'était quelques mottes d'une substance qui avait l'aspect de pâte à pain à demi cuite, d'un bleu lavande sale, qu'ils conservaient enveloppées dans des feuilles, et dont ils avalaient un morceau de temps à autre, mais si petit que cela semblait

done more for the looks of the thing than for any serious purpose of sustenance. Why in the name of all the gnawing devils of hunger they didn't go for us – they were thirty to five – and have a good tuck in for once, amazes me now when I think of it. They were big powerful men, with not much capacity to weigh the consequences, with courage, with strength, even yet, though their skins were no longer glossy and their muscles no longer hard. And I saw that something restraining, one of those human secrets that baffle probability, had come into play there. I looked at them with a swift quickening of interest – not because it occurred to me I might be eaten by them before very long, though I own to you that just then I perceived – in a new light, as it were – how unwholesome the pilgrims looked, and I hoped, yes, I positively hoped, that my aspect was not so – what shall I say? – so – unappetizing: a touch of fantastic vanity which fitted well with the dream-sensation that pervaded all my days at that time. Perhaps I had a little fever, too. One can't live with one's finger everlastingly on one's pulse. I had often "a little fever", or a little touch of other things – the playful paw-strokes of the wilderness, the preliminary trifling before the more serious onslaught which came in due course. Yes; I looked at them as you would on any human being, with a curiosity of their impulses, motives,

plus fait pour le geste que dans une sérieuse intention de se restaurer. Pourquoi, par tous les diables
rongeurs de la faim, ils ne nous sont pas tombés
dessus – ils étaient trente contre cinq – et n'ont
pas, pour une fois, fait bombance, cela me ren-
verse, quand j'y pense maintenant. C'étaient de
grands costauds, qui n'avaient pas beaucoup
d'aptitude à peser les conséquences d'un acte,
mais avaient du courage et de la force, même à ce
moment-là, où leur peau avait cessé d'être luisante, et leurs muscles d'être durs. Et je sentis
qu'un élément de retenue, l'un de ces secrets
humains qui mettent les probabilités en échec,
était entré en jeu. Je les regardais avec un intérêt
subitement aiguisé – non parce que l'idée m'était
venue qu'ils pourraient bien me manger sous peu,
encore que je doive vous avouer qu'à ce moment
précis je me rendis compte – comme qui dirait,
sous un jour nouveau – à quel point les pèlerins
avaient l'air malsain, et j'espérai, oui, j'espérai
ferme que mon aspect n'était pas aussi – comment
dire? – aussi peu appétissant; note de fantastique
vanité qui s'harmonisait avec l'impression de vivre
un rêve dans laquelle je baignais constamment à
l'époque. Peut-être avais-je aussi un peu de fièvre.
On ne peut pas vivre avec le doigt perpétuelle-
ment sur le pouls. J'avais souvent "un peu de
fièvre", ou une légère atteinte d'autres choses – les
petits coups de patte enjoués du monde sauvage,
le badinage préliminaire avant l'assaut plus sérieux
qui vint en son temps. Oui; je les regardai comme
on regarderait tout être humain, avec le désir de
connaître leurs élans instinctifs, leurs mobiles,

capacities, weaknesses, when brought to the test of an inexorable physical necessity. Restraint! What possible restraint? Was it superstition, disgust, patience, fear – or some kind of primitive honour? No fear can stand up to hunger, no patience can wear it out, disgust simply does not exist where hunger is; and as to superstition, beliefs, and what you may call principles, they are less than chaff in a breeze. Don't you know the devilry of lingering starvation, its exasperating torment, its black thoughts, its sombre and brooding ferocity? Well, I do. It takes a man all his inborn strength to fight hunger properly. It's really easier to face bereavement, dishonour, and the perdition of one's soul – than this kind of prolonged hunger. Sad, but true. And these chaps, too, had no earthly reason for any kind of scruple. Restraint! I would just as soon have expected restraint from a hyena prowling amongst the corpses of a battlefield. But there was the fact facing me – the fact dazzling, to be seen, like the foam on the depths of the sea, like a ripple on an unfathomable enigma, a mystery greater – when I thought of it – than the curious, inexplicable note of desperate grief in this savage clamour that had swept by us on the river-bank, behind the blind whiteness of the fog.

'Two pilgrims were quarrelling in hurried whispers

leurs capacités, leurs faiblesses, une fois mis à l'épreuve d'une nécessité physique inexorable. De la retenue! Quelle retenue possible? Était-ce de la superstition, du dégoût, de la patience, de la peur – ou certaine variété d'honneur primitif? Aucune peur ne peut résister à la faim, aucune patience ne peut en venir à bout, le dégoût est tout simplement inexistant quand la faim est là; quant à la superstition, aux convictions et à ce qu'on peut appeler les principes, ils sont moins que menue paille au vent. Vous ne savez pas ce que c'est que cette chose diabolique, la faim qui s'éternise, ses tourments exaspérants, ses noires pensées, sa sombre et obsédante férocité? Moi, si. Il faut à un homme toute sa force innée pour combattre la faim comme il sied. Il est vraiment plus facile de faire face à la perte d'un être cher, de son honneur, et de son âme – qu'à cette sorte de faim prolongée. Triste, mais vrai. Et puis, ces bougres n'avaient absolument aucune raison d'éprouver quelque scrupule que ce soit. De la retenue! J'aurais aussi volontiers attendu de la retenue d'une hyène rôdant parmi les cadavres d'un champ de bataille. Mais le fait était là, sous mes yeux – le fait aveuglant, aussi visible que l'écume sur les profondeurs marines, qu'une ride au-dessus d'une énigme insondable, mystère plus grand – quand j'y songeais – que la note curieuse, inexplicable, de douleur sans bornes exprimée par cette clameur sauvage qui avait déferlé près de nous sur la berge, derrière la blancheur aveugle du brouillard.

« Deux pèlerins se disputaient, à voix basse

as to which bank. "Left." "No, no; how can you? Right, right, of course." "It is very serious," said the manager's voice behind me; "I would be desolated if anything should happen to Mr Kurtz before we came up." I looked at him, and had not the slightest doubt he was sincere. He was just the kind of man who would wish to preserve appearances. That was his restraint. But when he muttered something about going on at once, I did not even take the trouble to answer him. I knew, and he knew, that it was impossible. Were we to let go our hold of the bottom, we would be absolutely in the air – in space. We wouldn't be able to tell where we were going to – whether up or down stream, or across – till we fetched against one bank or the other – and then we wouldn't know at first which it was. Of course I made no move. I had no mind for a smash-up. You couldn't imagine a more deadly place for a shipwreck. Whether drowned at once or not, we were sure to perish speedily in one way or another. "I authorize you to take all the risks," he said, after a short silence. "I refuse to take any," I said, shortly; which was just the answer he expected, though its tone might have surprised him. "Well, I must defer to your judgement. You are captain," he said, with marked civility. I turned my shoulder to him in sign of my appreciation, and looked into the fog. How long would it last?

et précipitée, sur l'origine du vacarme. "La berge gauche. – Non, non ; vous n'y pensez pas ! La droite, la droite bien sûr. – C'est très grave, dit derrière moi la voix du directeur ; je serais désolé, s'il devait arriver quelque chose à M. Kurtz avant notre venue." Je le regardai, et ne doutai pas un instant de sa sincérité. C'était tout à fait le genre d'homme qui tiendrait à sauver les apparences. Voilà quelle était sa retenue. Mais quand il marmonna quelque chose au sujet d'une remise en route immédiate, je ne pris même pas la peine de lui répondre. Je savais, et il savait, que c'était impossible. À supposer que nous lâchions notre prise sur le fond, nous étions absolument en l'air – dans le vide. Nous serions hors d'état de dire où nous irions – si c'était vers l'amont, l'aval ou en travers – jusqu'au moment où nous donnerions dans l'une ou l'autre berge, et même alors nous ne saurions pas tout de suite laquelle. Naturellement, je ne bougeai pas. Je n'avais aucune envie de tout casser. On ne saurait imaginer endroit plus funeste pour un naufrage. Noyés sur-le-champ ou non, nous étions assurés de périr très vite d'une manière ou d'une autre. "Je vous autorise à prendre tous les risques, dit-il après un bref silence. – Je refuse d'en prendre aucun", répliquai-je sèchement ; ce qui était exactement la réponse qu'il attendait, bien que mon ton ait pu le surprendre. "Eh bien, je dois m'en remettre à votre jugement. C'est vous le capitaine", fit-il, avec une civilité appuyée. Je tournai légèrement le buste vers lui, montrant ainsi que j'y étais sensible, et scrutai le brouillard. Combien de temps durerait-il ?

It was the most hopeless look-out. The approach to this Kurtz grubbing for ivory in the wretched bush was beset by as many dangers as though he had been an enchanted princess sleeping in a fabulous castle. "Will they attack, do you think?" asked the manager, in a confidential tone.

'I did not think they would attack, for several obvious reasons. The thick fog was one. If they left the bank in their canoes they would get lost in it, as we would be if we attempted to move. Still, I had also judged the jungle of both banks quite impenetrable – and yet eyes were in it, eyes that had seen us. The river-side bushes were certainly very thick; but the undergrowth behind was evidently penetrable. However, during the short lift I had seen no canoes anywhere in the reach – certainly not abreast of the steamer. But what made the idea of attack inconceivable to me was the nature of the noise – of the cries we had heard. They had not the fierce character boding of immediate hostile intention. Unexpected, wild, and violent as they had been, they had given me an irresistible impression of sorrow. The glimpse of the steamboat had for some reason filled those savages with unrestrained grief. The danger, if any, I expounded, was from our proximity to a great human passion let loose. Even extreme grief may

Les choses ne pouvaient se présenter plus mal. L'approche de ce Kurtz qui arrachait l'ivoire à la maudite brousse était entourée d'autant de périls que s'il avait été une princesse dormant d'un sommeil magique dans un château fabuleux. "Ils vont attaquer, vous croyez?" demanda le directeur sur un ton confidentiel.

«Je ne croyais pas qu'ils attaqueraient, pour plusieurs raisons évidentes. Le brouillard épais en était une. S'ils quittaient la rive dans leurs pirogues, ils s'y perdraient, comme nous le ferions si nous tentions de bouger. Il est vrai que j'avais aussi jugé la jungle des deux berges tout à fait impénétrable – or elle recelait pourtant des yeux, des yeux qui nous avaient vus. Au bord du fleuve, les taillis étaient assurément très denses; mais les broussailles qu'il y avait derrière étaient manifestement pénétrables. Cependant, durant la brève éclaircie, je n'avais vu de pirogues nulle part sur le plan d'eau – en tout cas, pas par le travers du vapeur. Mais ce qui, pour moi, rendait inconcevable l'idée d'une attaque, c'était la nature du bruit – des cris que nous avions entendus. Ils n'avaient pas ce caractère farouche qui traduit une intention immédiatement hostile. Pour inattendus, sauvages et violents qu'ils eussent été, ils m'avaient donné un sentiment irrésistible d'affliction. D'avoir aperçu le bateau à vapeur avait, pour une raison indéterminée, empli ces sauvages d'une douleur sans retenue. Le danger, si danger il y avait, exposai-je, venait de ce que nous étions tout près d'une grande passion humaine déchaînée. Même le comble de la douleur peut

ultimately vent itself in violence – but more generally takes the form of apathy...

'You should have seen the pilgrims stare! They had no heart to grin, or even to revile me: but I believe they thought me gone mad – with fright, maybe. I delivered a regular lecture. My dear boys, it was no good bothering. Keep a look-out? Well, you may guess I watched the fog for the signs of lifting as a cat watches a mouse; but for anything else our eyes were of no more use to us than if we had been buried miles deep in a heap of cotton-wool. It felt like it, too – choking, warm, stifling. Besides, all I said, though it sounded extravagant, was absolutely true to fact. What we afterwards alluded to as an attack was really an attempt at repulse. The action was very far from being aggressive – it was not even defensive, in the usual sense: it was undertaken under the stress of desperation, and in its essence was purely protective.

'It developed itself, I should say, two hours after the fog lifted, and its commencement was at a spot, roughly speaking, about a mile and a half below Kurtz's station. We had just floundered and flopped round a bend, when I saw an islet, a mere grassy hummock of bright green, in the middle of the stream. It was the only thing of the kind; but as we opened the reach more, I perceived

finir par trouver son exutoire dans la violence –
mais prend plus généralement la forme de l'apa-
thie…

« Vous auriez dû voir les yeux qu'ouvraient les
pèlerins ! Ils n'avaient pas le cœur à ricaner, ni
même à me traiter de tous les noms, mais je suis
persuadé qu'ils me croyaient devenu fou – de peur,
peut-être. Je donnai une vraie conférence. Mes
petits enfants, il ne servait à rien de se tracasser. Si je
gardais l'œil ouvert ? Eh bien, vous pouvez imaginer
que je guettais le brouillard pour y déceler les
signes d'éclaircie comme un chat guette une souris ;
mais, à tous autres égards, nos yeux ne nous étaient
pas plus utiles que si nous avions été enfouis
sous une montagne d'ouate. La consistance était
d'ailleurs la même – suffocante, chaude, étouffante.
Avec ça, tout ce que j'avais dit pouvait paraître
extravagant, c'était absolument conforme à la réalité. Ce que nous appelâmes par la suite attaque
était en fait une tentative pour nous refouler.
L'échauffourée fut très loin d'être une agression –
elle n'était même pas défensive au sens habituel :
elle fut déclenchée sous le coup du désespoir, et
était, en son essence, pure mesure de protection.

« Elle eut lieu, je dirais deux heures après que le
brouillard se fut levé, et commença en un point
situé approximativement à un mille et demi en
aval du poste de Kurtz. Nous venions de franchir un
coude, dans un grand bruit d'eau barattée et fouet-
tée, lorsque je vis un îlot, simple tertre herbeux
d'un vert vif, au milieu du courant. Il était seul de
son espèce, mais à mesure que nous nous enga-
gions plus avant dans la ligne droite, je découvrais

it was the head of a long sandbank, or rather of a chain of shallow patches stretching down the middle of the river. They were discoloured, just awash, and the whole lot was seen just under the water, exactly as a man's backbone is seen running down the middle of his back under the skin. Now, as far as I did see, I could go to the right or to the left of this. I didn't know either channel, of course. The banks looked pretty well alike, the depth appeared the same; but as I had been informed the station was on the west side, I naturally headed for the western passage.

'No sooner had we fairly entered it than I became aware it was much narrower than I had supposed. To the left of us there was the long uninterrupted shoal, and to the right a high, steep bank heavily overgrown with bushes. Above the bush the trees stood in serried ranks. The twigs overhung the current thickly, and from distance to distance a large limb of some tree projected rigidly over the stream. It was then well on in the afternoon, the face of the forest was gloomy, and a broad strip of shadow had already fallen on the water. In this shadow we steamed up – very slowly, as you may imagine. I steered her well inshore – the water being deepest near the bank, as the sounding-pole informed me.

'One of my hungry and forbearing friends was sounding in the bows just below me. This

que c'était la tête d'un long banc de sable, ou plutôt d'une chaîne de hauts-fonds qui s'étirait au milieu du fleuve. Ils avaient perdu leur couleur, affleuraient à peine, et l'on voyait l'ensemble juste sous la surface de l'eau, exactement comme on voit chez l'homme l'épine dorsale courir sous la peau au milieu du dos. Arrivé là, pour autant que je pusse voir, je pouvais contourner l'obstacle par la droite ou par la gauche. Je ne connaissais ni l'un ni l'autre chenal, bien sûr. Les berges avaient un aspect très semblable, la profondeur paraissait être la même ; mais comme on m'avait appris que le poste était du côté ouest, je fis naturellement route vers le passage de l'ouest.

« À peine y avions-nous franchement pénétré, que je me rendis compte qu'il était beaucoup plus étroit que je n'avais cru. Sur notre gauche, le long haut-fond courait sans interruption, et sur la droite se trouvait une haute berge abrupte, couverte d'épais buissons. Au-dessus du taillis, les arbres se dressaient en rangs serrés. D'épaisses ramures surplombaient le courant, et de loin en loin la maîtresse branche d'un arbre s'élançait droit au-dessus du fleuve. L'après-midi était alors bien avancé, le front de la forêt était obscur, et une large bande d'ombre était déjà tombée sur l'eau. C'est dans cette ombre que nous progressions – fort lentement, comme vous pouvez l'imaginer. Je dirigeai le bateau très près de terre – l'eau étant plus profonde à proximité de la rive, ainsi que me l'apprit la perche de la sonde.

« L'un de mes amis affamés et abstinents sondait à l'avant, juste au-dessous de moi. Ce

steamboat was exactly like a decked scow. On the deck, there were two little teak-wood houses, with doors and windows. The boiler was in the fore-end, and the machinery right astern. Over the whole there was a light roof, supported on stanchions. The funnel projected through that roof, and in front of the funnel a small cabin built of light planks served for a pilothouse. It contained a couch, two camp-stools, a loaded Martini-Henry leaning in one corner, a tiny table, and the steering-wheel. It had a wide door in front and a broad shutter at each side. All these were always thrown open, of course. I spent my days perched up there on the extreme fore-end of that roof, before the door. At night I slept, or tried to, on the couch. An athletic black belonging to some coast tribe, and educated by my poor predecessor, was the helmsman. He sported a pair of brass earrings, wore a blue cloth wrapper from the waist to the ankles, and thought all the world of himself. He was the most unstable kind of fool I had ever seen. He steered with no end of a swagger while you were by; but if he lost sight of you, he became instantly the prey of an abject funk, and would let that cripple of a steamboat get the upper hand of him in a minute.

vapeur ressemblait tout à fait à un chaland ponté. Il y avait sur le pont deux petites superstructures de bois de teck, percées de portes et de fenêtres. La chaudière était tout à l'avant, et la transmission exactement à l'arrière. Sur le tout courait une légère toiture, qui reposait sur des épontilles[1]. La cheminée passait à travers ce toit et, devant la cheminée, une petite cabine faite de planches minces servait de chambre de navigation. Elle contenait une couchette, deux pliants, une carabine Martini-Henry chargée, appuyée dans un coin, une table minuscule, et la roue du gouvernail. Elle avait une large porte avant et un grand volet de chaque côté. Bien entendu, tous étaient constamment grands ouverts. Je passais mes journées perché là-haut, à l'extrême avancée du toit, devant la porte. La nuit, je dormais, ou du moins j'essayais, sur la couchette. Un Noir athlétique, appartenant à certaine tribu de la côte, et formé par mon malheureux prédécesseur, était homme de barre. Il arborait une paire de boucles d'oreilles de cuivre, était enveloppé de la taille aux chevilles dans une pièce de toile bleue, et nourrissait une haute opinion de ses talents. Jamais je n'ai vu un abruti aussi changeant. Il tenait la barre en prenant des airs incroyablement farauds tant qu'on était à côté ; mais s'il vous perdait de vue, il devenait à l'instant la proie d'une frousse abominable, et se laissait mater en une minute par ce vapeur éclopé.

---

1. Pièces de bois ou de métal utilisées verticalement pour étayer ou soutenir un pont ou une autre partie du bateau.

'I was looking down at the sounding-pole, and feeling much annoyed to see at each try a little more of it stick out of that river, when I saw my poleman give up the business suddenly, and stretch himself flat on the deck, without even taking the trouble to haul his pole in. He kept hold on it though, and it trailed in the water. At the same time the fireman, whom I could also see below me, sat down abruptly before his furnace and ducked his head. I was amazed. Then I had to look at the river mighty quick, because there was a snag in the fairway. Sticks, little sticks, were flying about – thick: they were whizzing before my nose, dropping below me, striking behind me against my pilot-house. All this time the river, the shore, the woods, were very quiet – perfectly quiet. I could only hear the heavy splashing thump of the stern-wheel and the patter of these things. We cleared the snag clumsily. Arrows, by Jove! We were being shot at! I stepped in quickly to close the shutter on the land-side. That fool-helmsman, his hands on the spokes, was lifting his knees high, stamping his feet, champing his mouth, like a reined-in horse. Confound him! And we were staggering within ten feet of the bank. I had to lean right out to swing the heavy shutter, and I saw a face amongst the leaves on the level with my own, looking at me very fierce and steady and then suddenly, as

«Je regardais, en bas, la perche de la sonde, et remarquais avec une vive contrariété qu'à chaque essai une longueur un peu plus grande émergeait de ce fichu fleuve lorsque je vis mon sondeur abandonner brusquement son ouvrage, et s'aplatir sur le pont sans même prendre la peine de rentrer sa perche. Cependant il ne la lâcha pas, et elle traînait dans l'eau. En même temps, le chauffeur, que je voyais également au-dessous de moi, s'assit soudain devant sa chaudière et rentra la tête. J'étais stupéfait. Puis il me fallut ramener les yeux sur le fleuve, *presto*, parce qu'il y avait un chicot dans le chenal. Des baguettes, des petites baguettes, volaient de toutes parts – et dru : elles me passaient devant le nez en sifflant, tombaient en dessous de moi, venaient derrière moi frapper ma chambre de navigation. Pendant tout ce temps, le fleuve, le rivage, les bois étaient très tranquilles – parfaitement tranquilles. Je n'entendais que le lourd battoir de la roue arrière frappant l'eau, et ces choses qui tambourinaient. Nous passâmes tant bien que mal ce chicot. Des flèches, parbleu ! On nous tirait dessus ! Je rentrai vivement fermer le volet du côté de la terre. Cet idiot d'homme de barre, les mains sur les rayons de la roue, levait bien haut les genoux, en frappant du pied et rongeant son frein comme un cheval que l'on retient. Je le vouai à tous les diables. Et nous avancions en zigzag à trois mètres de la berge. Il fallut me pencher carrément en dehors pour faire pivoter le volet massif, et je vis parmi les feuilles un visage à hauteur du mien, qui, très farouche, me regardait fixement : et alors, tout d'un coup, comme

though a veil had been removed from my eyes. I made out, deep in the tangled gloom, naked breasts, arms, legs, glaring eyes, – the bush was swarming with human limbs in movement, glistening, of bronze colour. The twigs shook, swayed, and rustled, the arrows flew out of them, and then the shutter came to. "Steer her straight," I said to the helmsman. He held his head rigid, face forward: but his eyes rolled, he kept on, lifting and setting down his feet gently, his mouth foamed a little. "Keep quiet!" I said in a fury. I might just as well have ordered a tree not to sway in the wind. I darted out. Below me there was a great scuffle of feet on the iron deck; confused exclamations; a voice screamed, "Can you turn back?" I caught sight of a V-shaped ripple on the water ahead. What? Another snag! A fusillade burst out under my feet. The pilgrims had opened with their Winchesters, and were simply squirting lead into that bush. A deuce of a lot of smoke came up and drove slowly forward. I swore at it. Now I couldn't see the ripple or the snag either. It stood in the doorway, peering, and the arrows came in swarms. They might have been poisoned, but they looked as though they wouldn't kill a cat. The bush began to howl. Our wood-cutters raised a warlike whoop; the report of a rifle just at my back deafened me. I glanced over

si l'on m'avait ôté un voile de devant les yeux, je distinguai dans les profondeurs de l'obscurité confuse des poitrines, des bras et des jambes nus, des yeux menaçants – les taillis fourmillaient de membres humains qui bougeaient et luisaient, couleur de bronze. Les branches s'agitèrent, se balancèrent, firent entendre un bruissement, il en jaillit des flèches, puis le volet se ferma. "La barre droit devant", dis-je au timonier. Il gardait la tête rigide, le visage tourné vers l'avant, mais il roulait des yeux, ne cessait d'élever et d'abaisser lentement les pieds, avait un peu d'écume aux lèvres. "Tiens-toi tranquille!" dis-je, furieux. Autant valait ordonner à un arbre de ne pas se balancer au vent. Je sortis en trombe. Au-dessous, il y eut un grand bruit de piétinement sur le pont de fer; un charivari d'exclamations; une voix cria, perçante : "Vous pouvez faire demi-tour?" En amont j'aperçus une ride en V sur l'eau. Quoi? encore un chicot! Une fusillade éclata sous mes pieds. Les pèlerins avaient ouvert le feu avec leurs Winchester, et envoyaient tout simplement une giclée de plomb dans cette brousse, comme avec une seringue. Un fichu nuage de fumée s'éleva, et dériva lentement vers l'avant. Je lui adressai force jurons. Maintenant, je ne voyais plus ni ride ni chicot. J'étais debout dans l'embrasure de la porte, écarquillant les yeux, et les flèches volaient en essaims. Elles étaient peut-être empoisonnées, mais paraissaient incapables de tuer un chat. La broussaille se mit à hurler. Nos bûcherons poussèrent un cri de guerre; juste derrière moi, la détonation d'un fusil m'assourdit. Je jetai un coup d'œil par-dessus

my shoulder, and the pilot-house was yet full of noise and smoke when I made a dash at the wheel. The fool-nigger had dropped everything, to throw the shutter open and let off that Martini-Henry. He stood before the wide opening, glaring, and I yelled at him to come back, while I straightened the sudden twist out of that steamboat. There was no room to turn even if I had wanted to, the snag was somewhere very near ahead in that confounded smoke, there was no time to lose, so I just crowded her into the bank – right into the bank, where I knew the water was deep.

'We tore slowly along the overhanging bushes in a whirl of broken twigs and flying leaves. The fusillade below stopped short, as I had foreseen it would when the squirts got empty. I threw my head back to a glinting whizz that traversed the pilot-house, in at one shutterhole and out at the other. Looking past that mad helmsman, who was shaking the empty rifle and yelling at the shore, I saw vague forms of men running bent double, leaping, gliding, indistinct, incomplete, evanescent. Something big appeared in the air before the shutter, the rifle went overboard, and the man stepped back swiftly, looked at me over his shoulder in an extraordinary, profound, familiar manner, and fell upon my feet. The side of his head hit

mon épaule, et la chambre de navigation était encore tout emplie de bruit et de fumée quand je me précipitai sur la barre. Cet abruti de Nègre avait tout laissé choir pour ouvrir le volet et décharger la Martini-Henry. Il était planté devant la large ouverture, à rouler des yeux, et je lui criai de revenir, tandis que je corrigeais la soudaine embardée de ce maudit vapeur. Même si j'avais voulu virer, il n'y avait pas la place de le faire, le chicot était quelque part devant, tout près, dans cette satanée fumée, il n'y avait pas de temps à perdre, aussi lançai-je le bateau droit sur la berge – droit sur la berge, là où je savais l'eau profonde.

«Nous forçâmes lentement notre passage à travers le taillis en surplomb, dans un tourbillon de branches cassées et de feuilles arrachées. La fusillade, en dessous, s'arrêta court, comme j'avais prévu qu'elle ferait une fois les seringues vidées. Je rejetai vivement la tête en arrière pour éviter quelque chose de brillant qui traversa le kiosque en sifflant, entrant par une ouverture et ressortant par l'autre. En portant mon regard derrière ce timonier fou, qui brandissait la carabine déchargée et lançait des imprécations vers le rivage, je vis de vagues formes humaines qui couraient, pliées en deux, bondissaient, se coulaient, nettes, fragmentaires, évanescentes. Un objet de grandes dimensions apparut en l'air devant le volet, la carabine passa dehors, et le bonhomme recula rapidement, me regarda par-dessus son épaule d'une manière extraordinaire, profonde et familière, et me tomba sur les pieds. Le côté de sa tête heurta

the wheel twice, and the end of what appeared to be a long cane clattered round and knocked over a little camp-stool. It looked as though after wrenching that thing from somebody ashore he had lost his balance in the effort. The thin smoke had blown away, we were clear of the snag, and looking ahead I could see that in another hundred yards or so I would be free to sheer off, away from the bank; but my feet felt so very warm and wet that I had to look down. The man had rolled on his back and stared straight up at me; both his hands clutched that cane. It was the shaft of a spear that, either thrown or lunged through the opening, had caught him in the side just below the ribs; the blade had gone in out of sight, after making a frightful gash; my shoes were full; a pool of blood lay very still, gleaming dark-red under the wheel; his eyes shone with an amazing lustre. The fusillade burst out again. He looked at me anxiously, gripping the spear like something precious, with an air of being afraid I would try to take it away from him. I had to make an effort to free my eyes from his gaze and attend to the steering. With one hand I felt above my head for the line of the steam-whistle, and jerked out

deux fois la roue du gouvernail, et l'extrémité de ce qui paraissait être une longue canne tournoya avec fracas et renversa un petit pliant. On avait l'impression qu'après avoir arraché cet objet à quelqu'un qui se trouvait sur la berge, l'effort lui avait fait perdre l'équilibre. La fumée peu épaisse s'était dissipée, nous avions évité le chicot, et, en regardant devant nous, je vis qu'au bout d'une centaine de mètres à peu près je serais libre d'alarguer[1], en m'éloignant du rivage; mais j'avais aux pieds une telle sensation de tiédeur et d'humidité qu'il me fallut baisser les yeux. L'homme avait roulé sur le dos et me fixait droit dans les yeux; ses deux mains étaient agrippées à cette canne. C'était la hampe d'une lance qui, jetée ou poussée avec force par l'ouverture, l'avait atteint au flanc juste en dessous des côtes; le fer avait pénétré tout entier, et disparu, laissant une entaille effrayante; mes chaussures étaient trempées, une flaque de sang s'étendait, immobile, brillant d'un rouge sombre au-dessous de la roue : les yeux avaient un éclat surprenant. La fusillade éclata derechef. L'homme me regardait d'un air anxieux, empoignant la lance comme quelque chose de précieux, d'un air de redouter que je ne tentasse de la lui enlever. Je dus faire un effort pour arracher mes yeux à son regard et m'occuper de la barre. D'une main, je tâtonnai au-dessus de ma tête pour trouver le cordon du sifflet à vapeur, et déclenchai en

1. De m'éloigner. Le verbe alarguer s'emploie en ce sens à propos d'une côte, d'un écueil, d'un bâtiment ou d'un danger.

screech after screech hurriedly. The tumult of angry and warlike yells was checked instantly, and then from the depths of the woods went out such a tremulous and prolonged wail of mournful fear and utter despair as may be imagined to follow the flight of the last hope from the earth. There was a great commotion in the bush; the shower of arrows stopped, a few dropping shots rang out sharply – then silence, in which the languid beat of the stern-wheel came plainly to my ears. I put the helm hard a-starboard at the moment when the pilgrim in pink pyjamas, very hot and agitated, appeared in the doorway. "The manager sends me –" he began in an official tone, and stopped short. "Good God!" he said, glaring at the wounded man.

'We two whites stood over him, and his lustrous and inquiring glance enveloped us both. I declare it looked as though he would presently put to us some question in an understandable language; but he died without uttering a sound, without moving a limb, without twitching a muscle. Only in the very last moment, as though in response to some sign we could not see, to some whisper we could not hear, he frowned heavily, and that frown gave to his black death-mask an inconceivably sombre, brooding, and menacing expression. The lustre of the inquiring glance faded swiftly into vacant glassiness.

hâte une série de hululements stridents. Le vacarme des hurlements de colère et des cris de guerre fut arrêté net, puis des profondeurs de la forêt monta une longue plainte frémissante de peur lugubre et de profond désespoir, telle qu'on imagine celle qui suivrait l'envol du dernier espoir de la terre. Il y eut une grande agitation dans la broussaille ; les flèches cessèrent de pleuvoir, quelques derniers coups de feu isolés claquèrent sèchement – puis le silence, dans lequel le battement languissant de la roue arrière me parvint distinctement aux oreilles. Je mettais la barre à tribord toute au moment même où le pèlerin en pyjama rose, très agité et empourpré, apparut dans le chambranle de la porte. "Le directeur m'envoie…", commença-t-il sur un ton officiel, pour s'arrêter court. "Grands dieux !" dit-il, le regard fasciné par le blessé.

« Nous deux, les Blancs, nous dressions au-dessus de lui, et ses yeux brillants et inquisiteurs nous enveloppaient l'un et l'autre. Ma parole, on avait l'impression qu'il n'allait pas tarder à nous poser une question dans un langage intelligible ; mais il mourut sans émettre un son, sans bouger un membre, sans contracter un muscle. C'est seulement au tout dernier moment que, comme en réponse à certain signe que nous ne pouvions voir, à certain murmure que nous ne pouvions entendre, il fronça fortement les sourcils, et ce froncement donna à son masque mortuaire noir une expression inimaginablement sombre, méditative et menaçante. L'éclat du regard inquisiteur glissa bien vite à la vacuité vitreuse.

"Can you steer?" I asked the agent eagerly. He looked very dubious; but I made a grab at his arm, and he understood at once I meant him to steer whether or no. To tell you the truth, I was morbidly anxious to change my shoes and socks. "He is dead," murmured the fellow, immensely impressed. "No doubt about it," said I, tugging like mad at the shoe-laces. "And by the way, I suppose Mr Kurtz is dead as well by this time."

'For the moment that was the dominant thought. There was a sense of extreme disappointment, as though I had found out I had been striving after something altogether without a substance. I couldn't have been more disgusted if I had travelled all this way for the sole purpose of talking with Mr Kurtz. Talking with... I flung one shoe overboard, and became aware that that was exactly what I had been looking forward to – a talk with Kurtz. I made the strange discovery that I had never imagined him as doing, you know, but as discoursing. I didn't say to myself, "Now I will never see him," or "Now I will never shake him by the hand," but, "Now I will never hear him." The man presented himself as a voice. Not of course that I did not connect him with some sort of action. Hadn't I been told in all the tones of jealousy and admiration that he had collected, bartered, swindled, or stolen more ivory

"Savez-vous gouverner ?" demandai-je à l'agent sur un ton pressant. Il prit un air très dubitatif; mais je lui attrapai le bras, et il saisit tout de suite que j'entendais bien qu'il le fît quelle que fût sa réponse. Pour vous dire la vérité, j'étais maladivement impatient de changer de chaussettes et de chaussures. "Il est mort, souffla l'autre, prodigieusement impressionné. – Ça ne fait aucun doute, dis-je en tirant comme un forcené sur les lacets. Et, à propos, je suppose que M. Kurtz aussi est mort à l'heure qu'il est."

« Telle était pour l'instant ma pensée dominante. J'éprouvais un sentiment d'extrême déception, comme si j'avais découvert que je m'étais échiné pour atteindre une chose totalement dépourvue de substance. Je n'aurais pu éprouver un plus grand dégoût si j'avais fait tout ce chemin dans l'unique dessein de m'entretenir avec M. Kurtz. M'entretenir avec..., je lançai une chaussure par-dessus bord, et me rendis compte que c'était exactement cela que j'attendais avec impatience – un entretien avec Kurtz. Je fis cette étrange découverte, que jamais je ne me l'étais représenté en action, voyez-vous, mais seulement en train de discourir. Je ne me dis pas "Maintenant, jamais je ne le verrai", ni "Maintenant, jamais je ne lui serrerai la main", mais "Maintenant, jamais je ne l'entendrai". Le personnage s'incarnait en une voix. Ce n'était pas, bien sûr, qu'il fût coupé dans mon esprit de toute idée d'action. Ne m'avait-on pas dit, sur tous les tons de la jalousie et de l'admiration, qu'il avait collecté, troqué, escroqué ou volé plus d'ivoire

than all the other agents together? That was not the point. The point was in his being a gifted creature, and that of all his gifts the one that stood out pre-eminently, that carried with it a sense of real presence, was his ability to talk, his words – the gift of expression, the bewildering, the illuminating, the most exalted and the most contemptible, the pulsating stream of light, or the deceitful flow from the heart of an impenetrable darkness.

'The other shoe went flying unto the devil-god of that river. I thought, By Jove! it's all over. We are too late; he has vanished – the gift has vanished, by means of some spear, arrow, or club. I will never hear that chap speak after all, – and my sorrow had a startling extravagance of emotion, even such as I had noticed in the howling sorrow of these savages in the bush. I couldn't have felt more of lonely desolation somehow, had I been robbed of a belief or had missed my destiny in life... Why do you sigh in this beastly way, somebody? Absurd? Well, absurd. Good Lord! mustn't a man ever – Here, give me some tobacco.'...

There was a pause of profound stillness, then a match flared, and Marlow's lean face appeared, worn, hollow, with downward folds and dropped eyelids, with an aspect of concentrated attention; and as he took vigorous draws at his pipe, it seemed to retreat and advance out of the night in the regular flicker of the tiny flame. The match went out.

à lui seul que tous les autres agents réunis ? Là n'était pas l'important. L'important était que c'était un être doué, et que de tous ses dons, celui qui se détachait souverainement, qui donnait l'impression de véritable présence, c'était son talent pour la parole, son verbe – ce don de l'expression qui plonge dans la perplexité ou inonde de lumière, le plus noble ou le plus méprisable, le flot de palpitante clarté ou le fleuve trompeur descendant du cœur d'impénétrables ténèbres.

« L'autre chaussure partit en vol plané chez le dieu-démon de ce fleuve. Parbleu ! pensai-je, tout ça est fini. Nous arrivons trop tard ; il a disparu – le don a disparu, par l'effet de quelque lance, flèche ou casse-tête. Je n'entendrai finalement jamais ce bonhomme parler – et mon chagrin était d'une étonnante surabondance d'émotion, tout à fait semblable à celle que j'avais remarquée dans le chagrin hurlant de ces sauvages de la brousse. Je n'aurais pu éprouver plus de solitaire accablement, si l'on m'avait dépossédé d'une conviction ou si j'avais manqué ma destinée... Qui est-ce qui pousse ce soupir à fendre l'âme ? Absurde ? Bon, absurde. Mon Dieu ! est-ce qu'on ne doit jamais – allons, passez-moi un peu de tabac. »

Il y eut une pause de profond silence, puis une allumette s'embrasa et le visage maigre de Marlow surgit, las, creusé, les plis tombants, les paupières baissées, avec un air d'attention concentrée ; et, tandis qu'il tirait de vigoureuses bouffées de sa pipe, il semblait reculer dans la nuit et en ressortir selon la vacillation régulière de la petite flamme. L'allumette s'éteignit.

'Absurd!' he cried. 'This is the worst of trying to tell... Here you all are, each moored with two good addresses, like a hulk with two anchors, a butcher round one corner, a policeman round another, excellent appetites, and temperature normal – you hear – normal from year's end to year's end. And you say, Absurd! Absurd be – exploded! Absurd! My dear boys, what can you expect from a man who out of sheer nervousness had just flung overboard a pair of new shoes! Now I think of it, it is amazing I did not shed tears. I am, upon the whole, proud of my fortitude. I was cut to the quick at the idea of having lost the inestimable privilege of listening to the gifted Kurtz. Of course I was wrong. The privilege was waiting for me. Oh, yes, I heard more than enough. And I was right too. A voice. He was very little more than a voice. And I heard – him – it – this voice – other voices – all of them were so little more than voices – and the memory of that time itself lingers around me, impalpable, like a dying vibration of one immense jabber, silly, atrocious, sordid, savage, or simply mean, without any kind of sense. Voices, voices – even the girl herself – now –'

He was silent for a long time.

'I laid the ghost of his gifts at last with a lie,' he began, suddenly. 'Girl! What? Did I mention a girl? Oh, she is out of it – completely. They – the

«Absurde! s'exclama-t-il. C'est ça le pire, quand on essaie de raconter… Vous êtes tous là, chacun amarré à deux adresses respectables, comme un ponton à deux ancres, avec un boucher au coin d'une rue, et un agent de police au coin de l'autre, l'appétit excellent, la température normale – entendez-vous – normale du premier janvier à la Saint-Sylvestre. Et vous dites : Absurde! Au diable votre absurde! Absurde! Mes enfants, que pouvez-vous attendre d'un homme qui venait, par pure nervosité, de flanquer par-dessus bord une paire de chaussures neuves? Maintenant que j'y songe, que je n'aie pas versé de larmes est stupéfiant. Je suis, dans l'ensemble, assez fier de ma fermeté d'âme. L'idée d'avoir perdu l'inestimable privilège d'écouter Kurtz le doué me touchait au vif. J'avais tort, bien sûr. Le privilège m'attendait. Oh oui, j'en ai entendu plus qu'assez. Et en même temps, j'avais raison. Une voix. Il n'était guère plus qu'une voix. Et je les entendis – lui – la voix – sa voix – d'autres voix – à eux tous ils n'étaient guère plus que des voix – et le souvenir de ce temps lui-même s'attarde autour de moi, impalpable, comme la vibration expirante d'une unique, immense jacasserie, sotte, atroce, sordide, sauvage ou simplement mesquine, sans la moindre espèce de raison. Des voix, des voix – jusqu'à la jeune fille elle-même – aujourd'hui… »

Il demeura longtemps silencieux.

«J'exorcisai le fantôme de ses dons, finalement, par un mensonge, reprit-il soudain. Une jeune fille? Quoi? j'ai parlé d'une jeune fille. Oh, elle est en dehors de l'affaire – complètement. Elles – je

women I mean – are out of it – should be out of it. We must help them to stay in that beautiful world of their own, lest ours gets worse. Oh, she had to be out of it. You should have heard the disinterred body of Mr Kurtz saying, "My Intended." You would have perceived directly then how completely she was out of it. And the lofty frontal bone of Mr Kurtz! They say the hair goes on growing sometimes, but this – ah – specimen, was impressively bald. The wilderness had patted him on the head, and, behold, it was like a ball – an ivory ball; it had caressed him, and – lo! – he had withered; it had taken him, loved him, embraced him, got into his veins, consumed his flesh, and sealed his soul to its own by the inconceivable ceremonies of some devilish initiation. He was its spoiled and pampered favourite. Ivory? I should think so. Heaps of it, stacks of it. The old mud shanty was bursting with it. You would think there was not a single tusk left either above or below the ground in the whole country. "Mostly fossil," the manager had remarked, disparagingly. It was no more fossil than I am; but they call it fossil when it is dug up. It appears these niggers do bury the tusks sometimes – but evidently they couldn't bury this parcel deep enough to save the gifted Mr Kurtz from his fate. We filled the steamboat with it, and had to pile a lot on the deck. Thus he could see

veux dire les femmes – sont en dehors de l'affaire – devraient être en dehors de l'affaire. Nous devons les aider à rester dans ce monde de beauté qui est le leur, de peur que le nôtre empire. Oh! il fallait bien qu'elle fût en dehors de l'affaire. Vous auriez dû entendre le corps exhumé de M. Kurtz dire : "Ma Fiancée". Car alors vous auriez saisi tout de suite à quel point elle était en dehors de l'affaire. Et ce noble os frontal de M. Kurtz! On dit parfois que les cheveux continuent à pousser, mais ce – euh! – spécimen-là était d'une calvitie impressionnante. Le monde sauvage lui avait tapoté la tête, et voilà qu'elle était comme une boule – une boule d'ivoire; ce monde l'avait caressé, et – regardez! – il avait dépéri; ce monde l'avait pris, aimé, enlacé, s'était insinué dans ses veines, avait consumé sa chair, et scellé son âme à la sienne propre par les cérémonies inimaginables de quelque initiation démoniaque. Il était l'enfant chéri, choyé et dorloté de ce monde. De l'ivoire? Je comprends. Des tas, des monceaux. La vieille cahute de pisé en était pleine à craquer. On aurait dit qu'il ne restait pas une seule défense d'éléphant au-dessus ou au-dessous du niveau du sol dans toute la contrée. "Surtout de l'ivoire fossile", avait laissé tomber le directeur d'un ton dédaigneux. Il n'était pas plus fossile que moi; mais on l'appelle fossile lorsqu'on le déterre. Il semble en effet que parfois ces Nègres enterrent bel et bien les défenses – mais à l'évidence ils n'auraient pu enterrer ce lot-ci assez profond pour sauver M. Kurtz le doué de son destin. Nous en remplîmes le vapeur, et il nous fallut en entasser une quantité sur le pont. Il put ainsi le voir

215

and enjoy as long as he could see, because the appreciation of this favour had remained with him to the last. You should have heard him say, "My ivory." Oh yes, I heard him. "My Intended, my ivory, my station, my river, my –" everything belonged to him. It made me hold my breath in expectation of hearing the wilderness burst into a prodigious peal of laughter that would shake the fixed stars in their places. Everything belonged to him – but that was a trifle. The thing was to know what he belonged to, how many powers of darkness claimed him for their own. That was the reflection that made you creepy all over. It was impossible – it was not good for one either – trying to imagine. He had taken a high seat amongst the devils of the land – I mean literally. You can't understand. How could you? – with solid pavement under your feet, surrounded by kind neighbours ready to cheer you or to fall on you, stepping delicately between the butcher and the policeman, in the holy terror of scandal and gallows and lunatic asylums – how can you imagine what particular region of the first ages a man's untrammelled feet may take him into by the way of solitude – utter solitude without a policeman – by the way of silence – utter silence, where no warning voice of a kind neighbour can be heard whispering of public opinion? These little things make all the great

et se repaître du spectacle aussi longtemps qu'il eut les yeux ouverts, il avait gardé jusqu'au bout la faculté de goûter cette grâce. Vous auriez dû l'entendre dire : "Mon ivoire". Oh oui, je l'ai entendu. "Ma Fiancée, mon ivoire, mon poste, mon fleuve, mon…" tout lui appartenait. J'en retenais mon souffle, tant je m'attendais à entendre le monde sauvage partir d'un prodigieux éclat de rire qui ferait trembler les astres dans leur immuable position. Tout lui appartenait – mais ce n'était qu'une vétille. L'important était de savoir à qui il appartenait, lui, combien, parmi les puissances des ténèbres, prétendaient qu'il leur appartenait. Voilà la réflexion qui vous faisait frissonner de la tête aux pieds. Essayer d'imaginer n'était pas possible – ni sans danger. Il siégeait en haut rang parmi les démons de cette terre – je l'entends littéralement. Vous ne pouvez pas comprendre. Comment le pourriez-vous? – les pieds sur un trottoir bien stable, entourés de voisins bien intentionnés tout prêts à vous applaudir ou à vous accabler, vous qui avancez d'un pas léger entre le boucher et l'agent de police, dans une sainte terreur du scandale, du gibet et de l'asile d'aliénés – comment pouvez-vous imaginer vers quelle région particulière des premiers âges ses jambes sans entraves peuvent mener un homme par la voie de la solitude – la solitude complète, sans agent de police – par la voie du silence – du silence complet, où la voix de nul voisin bien intentionné ne fait entendre sa mise en garde, vous rappelant dans un souffle qu'il y a l'opinion publique? Ce sont ces petites choses qui font toute la grande

difference. When they are gone you must fall back upon your own innate strength, upon your own capacity for faithfulness. Of course you may be too much of a fool to go wrong – too dull even to know you are being assaulted by the powers of darkness. I take it, no fool ever made a bargain for his soul with the devil: the fool is too much of a fool, or the devil too much of a devil – I don't know which. Or you may be such a thunderingly exalted creature as to be altogether deaf and blind to anything but heavenly sights and sounds. Then the earth for you is only a standing place – and whether to be like this is your loss or your gain I won't pretend to say. But most of us are neither one nor the other. The earth for us is a place to live in, where we must put up with sights, with sounds, with smells, too, by Jove! – breathe dead hippo, so to speak, and not be contaminated. And there, don't you see? your strength comes in, the faith in your ability for the digging of unostentatious holes to bury the stuff in – your power of devotion, not to yourself, but to an obscure, back-breaking business. And that's difficult enough. Mind, I am not trying to excuse or even explain – I am trying to account to myself for – for – Mr Kurtz – for the shade of Mr Kurtz. This initiated wraith from the back of Nowhere honoured me with its amazing confidence

1. La majuscule de *Nulle part* paraît bien avoir pour fonction de faire de ce *Nowhere* une Utopie; le genre utopique connaissait un regain de vitalité très net, et c'est en 1891 que

différence. Quand elles ont disparu, il faut vous rabattre sur votre propre force innée, sur votre propre aptitude à la fidélité. Il se peut, bien sûr, que vous soyez trop bête pour sortir du droit chemin – trop stupide pour seulement vous rendre compte que les puissances des ténèbres vous assaillent. Je présume que jamais imbécile n'a vendu son âme au diable : l'imbécile est trop bête, ou le diable trop diabolique – je ne sais ce qu'il en est. Ou il se peut encore que vous soyez un être terriblement éthéré, au point que vous êtes tout à fait sourd et aveugle à ce qui n'est pas son et vision célestes. La terre alors n'est pour vous qu'une station – et quant à savoir si c'est tant pis ou tant mieux que vous soyez comme ça, je n'aurai pas la prétention de trancher. Mais la plupart d'entre nous ne tombons ni dans un cas ni dans l'autre. La terre pour nous est un endroit où vivre, où nous devons nous accommoder de visions, de sons, et d'odeurs aussi, parbleu ! – respirer du cadavre d'hippopotame, pour ainsi dire, sans être contaminés. Et c'est là, ne voyez-vous pas ? qu'intervient votre force, la foi en votre aptitude à creuser des trous discrets où enterrer cette saleté – la faculté de vous consacrer, non à vous-même, mais à une tâche obscure qui vous rompt l'échine. Et ce n'est pas si facile. Remarquez, je n'essaie pas d'excuser ni même d'expliquer – j'essaie de me rendre raison de… de… M. Kurtz… de l'ombre de M. Kurtz. Cet ectoplasme initié venu du fin fond de Nulle part[1] m'honora de ses stupéfiantes confidences

William Morris avait publié ses *News from Nowhere* (Nouvelles de Nulle part).

before it vanished altogether. This was because it could speak English to me. The original Kurtz had been educated partly in England, and – as he was good enough to say himself – his sympathies were in the right place. His mother was half-English, his father was half-French. All Europe contributed to the making of Kurtz; and by-and-by I learned that, most appropriately, the International Society for the Suppression of Savage Customs had entrusted him with the making of a report, for its future guidance. And he had written it, too. I've seen it. I've read it. It was eloquent, vibrating with eloquence, but too high-strung, I think. Seventeen pages of close writing he had found time for! But this must have been before his – let us say – nerves, went wrong, and caused him to preside at certain midnight dances ending with unspeakable rites, which – as far as I reluctantly gathered from what I heard at various times – were offered up to him – do you understand? – to Mr Kurtz himself. But it was a beautiful piece of writing. The opening paragraph, however, in the light of later information, strikes me now as ominous. He began with the argument that we whites, from the point of development we had arrived at, "must necessarily appear to them [savages] in the nature of supernatural beings – we approach them with the might as of a deity," and so on, and so on. "By the simple exercise of our will we can exert a power for good practically unbounded,"

avant de s'évanouir tout à fait. Cela parce qu'il pouvait me parler en anglais. Le Kurtz originel avait reçu une partie de son éducation en Angleterre, et – ainsi qu'il eut la bonté de le dire lui-même – ses sentiments penchaient du bon côté. Sa mère était à demi anglaise, son père à demi français. Toute l'Europe avait contribué à produire Kurtz; et j'appris bientôt que, comme il était on ne peut plus à propos, la Société internationale pour l'abolition des mœurs sauvages lui avait confié la rédaction d'un rapport, pour son orientation future. Et il l'avait même écrit. Je l'ai vu. Je l'ai lu. Il était éloquent, vibrant d'éloquence, mais trop exalté, je pense. Il avait trouvé le temps d'en écrire dix-sept pages serrées. Mais ç'avait dû être avant que ses – mettons, ses nerfs ne se détraquent et ne le conduisent à présider certaines danses nocturnes terminées par des rites innommables qui – pour autant que j'aie pu conclure à mon corps défendant de ce que j'ai entendu dire à divers moments – lui étaient dédiés – vous saisissez? – à M. Kurtz en personne. Mais c'était un beau morceau de style. À la lumière de ce que j'appris par la suite, cependant, le premier paragraphe me frappe aujourd'hui comme de mauvais augure. L'auteur commençait par cet argument que nous les Blancs, du fait du degré de développement auquel nous sommes parvenus, "devions nécessairement paraître à leurs yeux (ceux des sauvages) sous les espèces d'êtres surnaturels – nous les abordons avec une puissance quasi divine", et ainsi de suite. "Par le simple exercice de notre volonté, nous pouvons mettre en jeu un pouvoir pratiquement sans limites au service du bien",

etc., etc. From that point he soared and took me with him. The peroration was magnificent, though difficult to remember, you know. It gave me the notion of an exotic Immensity ruled by an august Benevolence. It made me tingle with enthusiasm. This was the unbounded power of eloquence – of words – of burning noble words. There were no practical hints to interrupt the magic current of phrases, unless a kind of note at the foot of the last page, scrawled evidently much later, in an unsteady hand, may be regarded as the exposition of a method. It was very simple, and at the end of that moving appeal to every altruistic sentiment it blazed at you, luminous and terri-fying, like a flash of lightning in a serene sky: "Exterminate all the brutes!" The curious part was that he had apparently forgotten all about that valuable postscriptum, because, later on, when he in a sense came to himself, he repeatedly entreated me to take good care of "my pamphlet" (he called it), as it was sure to have in the future a good influence upon his career. I had full informa-tion about all these things, and, besides, as it turn-ed out, I was to have the care of his memory. I've done enough for it to give me the indisputable right to lay it, if I choose, for an everlasting rest in the dust-bin of progress, amongst all the sweepings and, figuratively speaking, all the dead cats of civili-zation. But then, you see, I can't choose. He won't

etc. À partir de là, il prenait son essor et m'emportait avec lui. La péroraison était magnifique, bien que difficile à retenir, voyez-vous. Elle me donnait le sentiment d'une Immensité exotique gouvernée par une auguste Bienveillance. Elle me causait des fourmillements d'enthousiasme. C'était le pouvoir sans limites de l'éloquence – des mots – des mots d'une ardente noblesse. Aucune suggestion pratique ne venait interrompre le flot magique des phrases, à moins qu'une sorte de note en bas de la dernière page, griffonnée manifestement beaucoup plus tard d'une main fiévreuse, ne puisse être tenue pour l'exposé d'une méthode. C'était très simple, et, à la fin de cet émouvant appel à tous les sentiments altruistes, cela flamboyait sous vos yeux, lumineux et terrifiant, comme un éclair dans un ciel serein : "Exterminez toutes ces brutes!" Le curieux est qu'il avait apparemment oublié l'existence de ce précieux post-scriptum, puisque plus tard, lorsqu'en un sens il revint à lui, il m'implora de façon répétée de prendre grand soin de "ma brochure" (c'est ainsi qu'il l'appelait), qui ne pouvait manquer d'avoir à l'avenir une heureuse influence sur sa carrière. J'étais en possession de renseignements complets à propos de tout cela, et en outre, comme les choses tournèrent, je devais avoir le soin de veiller sur sa mémoire. J'en ai assez fait à cet égard pour avoir acquis le droit incontestable de la déposer, si j'en décide ainsi, afin qu'elle goûte un repos éternel dans les poubelles du progrès, parmi toutes les balayures et, au figuré, tous les chats crevés de la civilisation. Mais c'est, voyez-vous, que je ne peux en décider ainsi. Il refuse

be forgotten. Whatever he was, he was not common. He had the power to charm or frighten rudimentary souls into an aggravated witch-dance in his honour; he could also fill the small souls of the pilgrims with bitter misgivings: he had one devoted friend at least, and he had conquered one soul in the world that was neither rudimentary nor tainted with self-seeking. No; I can't forget him, though I am not prepared to affirm the fellow was exactly worth the life we lost in getting to him. I missed my late helmsman awfully, – I missed him even while his body was still lying in the pilot-house. Perhaps you will think it passing strange, this regret for a savage who was of no more account than a grain of sand in a black Sahara. Well, don't you see, he had done something, he had steered; for months I had him at my back – a help – an instrument. It was a kind of partnership. He steered for me – I had to look after him, I worried about his deficiencies, and thus a subtle bond had been created, of which I only became aware when it was suddenly broken. And the intimate profundity of that look he gave me when he received his hurt remains to this day in my memory – like a claim of distant kinship affirmed in a supreme moment.

'Poor fool! If he had only left that shutter alone. He had no restraint, no restraint – just like Kurtz –

de se laisser oublier. Quoi qu'il ait pu être, il n'était pas commun. Il avait le pouvoir d'entraîner, par le charme ou la peur qu'il inspirait, des âmes rudimentaires jusqu'à des sabbats corsés d'autre chose et célébrés en son honneur ; il pouvait également emplir l'âme étriquée des pèlerins de fielleuse méfiance ; il avait au moins un ami dévoué, et il s'était acquis une âme dans ce monde qui n'était ni rudimentaire ni corrompue par l'égoïsme. Non ; je ne peux pas l'oublier, même si je ne suis pas prêt à affirmer que le gaillard valait exactement la vie que nous avons perdue pour aller jusqu'à lui. Feu mon homme de barre me manquait terriblement – il me manquait alors même que son corps gisait encore dans la chambre de navigation. Ça vous paraîtra peut-être extraordinaire, ce regret éprouvé pour un sauvage qui n'avait pas plus d'importance qu'un grain de sable dans un noir Sahara. Eh bien, vous ne saisissez donc pas, il avait fait quelque chose, il avait tenu la barre ; pendant des mois, je l'avais eu derrière moi – comme un aide – un instrument. C'était une manière d'association. Il tenait la barre pour moi – je devais l'avoir à l'œil, ses insuffisances me donnaient du tracas, et ainsi s'était créé un lien subtil, dont je ne pris conscience que lorsqu'il se trouva soudain rompu. Et l'intime profondeur du regard qu'il me lança quand il reçut sa blessure est encore présente à ma mémoire – comme le droit de se réclamer d'une lointaine parenté affirmé à un moment suprême.

« Pauvre imbécile ! Si seulement il avait laissé ce volet tranquille. Il n'avait aucune retenue, aucune retenue – tout comme Kurtz –,

a tree swayed by the wind. As soon as I had put on a dry pair of slippers, I dragged him out, after first jerking the spear out of his side, which operation I confess I performed with my eyes shut tight. His heels leaped together over the little doorstep; his shoulders were pressed to my breast; I hugged him from behind desperately. Oh! he was heavy, heavy; heavier than any man on earth, I should imagine. Then without more ado I tipped him overboard. The current snatched him as though he had been a wisp of grass, and I saw the body roll over twice before I lost sight of it for ever. All the pilgrims and the manager were then congregated on the awning-deck about the pilot-house, chattering at each other like a flock of excited magpies, and there was a scandalized murmur at my heartless promptitude. What they wanted to keep that body hanging about for I can't guess. Embalm it, maybe. But I had also heard another, and a very ominous, murmur on the deck below. My friends the wood-cutters were likewise scandalized, and with a better show of reason – though I admit that the reason itself was quite inadmissible. Oh, quite! I had made up my mind that if my late helmsman was to be eaten, the fishes alone should have him. He had been a very second-rate helmsman while alive, but now he was dead he might have become a first-class temptation, and possibly cause some startling trouble. Besides,

un arbre qui oscille au gré du vent. Dès que j'eus mis une paire de savates sèches, je le traînai dehors, après avoir d'abord ôté d'un coup sec la lance de son flanc, opération que je pratiquai, je le confesse, les yeux bien fermés. Ses talons franchirent d'un même saut le petit seuil de la porte; ses épaules m'appuyaient sur la poitrine; je l'étreignais par-derrière de toutes mes forces. Oh! il était lourd, lourd; plus lourd que tout homme au monde, croirais-je volontiers. Puis je le fis passer par-dessus bord sans plus de cérémonie. Le courant s'en empara comme d'une poignée d'herbe, et je vis le corps tournoyer deux fois sur lui-même avant d'échapper à jamais à mon regard. Tous les pèlerins et le directeur étaient alors assemblés sur le pont-abri autour de la chambre de navigation, jacassant agressivement entre eux telle une bande de pies excitées, et il y eut un murmure scandalisé devant ma promptitude sans entrailles. Je suis incapable de deviner pour quelle raison ils voulaient que ce corps continue à traîner à bord. Pour l'embaumer, peut-être. Mais j'avais aussi entendu un autre murmure, très inquiétant celui-là, sur le pont inférieur. Mes amis les bûcherons étaient également scandalisés, et avec plus d'apparence de raison – encore que leur raison, je le reconnais, fût tout à fait inadmissible. Oh! tout à fait! J'avais résolu que si feu mon homme de barre devait être mangé, ce ne serait que par les poissons. De son vivant, il avait été un timonier de deuxième ordre vraiment, mais, maintenant qu'il était mort, il aurait pu devenir une tentation de première grandeur, et provoquer éventuellement un grabuge épouvantable. En outre,

I was anxious to take the wheel, the man in pink pyjamas showing himself a hopeless duffer at the business.

'This I did directly the simple funeral was over. We were going half-speed, keeping right in the middle of the stream, and I listened to the talk about me. They had given up Kurtz, they had given up the station; Kurtz was dead, and the station had been burnt – and so on – and so on. The red-haired pilgrim was beside himself with the thought that at least this poor Kurtz had been properly avenged. "Say! We must have made a glorious slaughter of them in the bush. Eh? What do you think? Say?" He positively danced, the bloodthirsty little gingery beggar. And he had nearly fainted when he saw the wounded man! I could not help saying, "You made a glorious lot of smoke, anyhow." I had seen, from the way the tops of the bushes rustled and flew, that almost all the shots had gone too high. You can't hit anything unless you take aim and fire from the shoulder; but these chaps fired from the hip with their eyes shut. The retreat, I maintained – and I was right – was caused by the screeching of the steam-whistle. Upon this they forgot Kurtz, and began to howl at me with indignant protests.

'The manager stood by the wheel murmuring confidentially about the necessity of getting well away down the river before dark at all events, when I saw in the distance a clearing on the river-side and the outlines of some sort of building.

j'étais fort impatient de prendre la barre, l'homme au pyjama rose s'y montrant d'une incurable balourdise.

« Ce que je fis, sitôt terminées ces simples funérailles. Nous allions à mi-vitesse, en gardant le plein milieu du courant, et j'écoutais les propos échangés autour de moi. On avait renoncé à Kurtz, on avait renoncé au poste ; Kurtz était mort, et le poste avait été incendié – et patati – et patata. Le pèlerin roux était transporté à l'idée qu'au moins ce pauvre Kurtz avait été vengé comme il convenait. "Dites donc ! on a dû en faire un fameux massacre dans la brousse. Hein ? qu'est-ce que vous en dites ? Pas vrai ?" Il en dansait littéralement, le petit rouquin assoiffé de sang. Et il avait manqué se trouver mal à la vue du blessé ! Je ne pus m'empêcher de dire : "En tout cas, vous avez fait un fameux nuage de fumée." J'avais vu, à la façon dont le faîte des buissons avait frémi et voltigé, que presque tous les coups de feu étaient montés trop haut. On ne peut atteindre quoi que ce soit sans viser ni tirer en épaulant ; mais ces gaillards-là tiraient de la hanche, les yeux fermés. La retraite, affirmai-je – et j'avais raison –, avait eu pour cause le glapissement perçant du sifflet à vapeur. Là-dessus, ils oublièrent Kurtz, et se mirent à m'accabler d'un hurlement de protestations indignées.

« Le directeur restait près de la roue à chuchoter en confidence sur la nécessité en tout cas de redescendre le fleuve sur une bonne distance avant la nuit, quand je vis au loin sur la berge une clairière et les contours d'une espèce de bâtiment.

"What's this?" I asked. He clapped his hands in wonder. "The station!" he cried. I edged in at once, still going half-speed.

"Through my glasses I saw the slope of a hill interspersed with rare trees and perfectly free from undergrowth. A long decaying building on the summit was half buried in the high grass; the large holes in the peaked roof gaped black from afar; the jungle and the woods made a background. There was no enclosure or fence of any kind; but there had been one apparently, for near the house half-a-dozen slim posts remained in a row, roughly trimmed, and with their upper ends ornamented with round carved balls. The rails, or whatever there had been between, had disappeared. Of course the forest surrounded all that. The river-bank was clear, and on the water-side I saw a white man under a hat like a cartwheel beckoning per-sistently with his whole arm. Examining the edge of the forest above and below, I was almost certain I could see movements – human forms gliding here and there. I steamed past prudently, then stopped the engines and let her drift down. The man on the shore began to shout, urging us to land. "We have been attacked," screamed the manager. "I know – I know. It's all right," yelled back the other, as cheerful as you please. "Come along. It's all right. I am glad."

'His aspect reminded me of something I had

"Qu'est-ce que c'est que ça?" demandai-je. Il battit des mains de surprise émerveillée. "Le poste!" s'écria-t-il. J'obliquai sur-le-champ, tout en restant à mi-vitesse.

« Dans mes jumelles, je vis le flanc d'une colline piquetée de quelques arbres et entièrement dépourvue de taillis. Au sommet, un long bâtiment délabré était à moitié enfoui dans l'herbe haute; de loin, les grands trous du toit à forte pente paraissaient noirs; jungle et futaie formaient l'arrière-plan. Il n'y avait ni clôture ni barrière d'aucune sorte; mais il y en avait eu une apparemment, car près de la maison une demi-douzaine de pieux élancés étaient encore alignés, grossièrement équarris, leur sommet orné de boules sculptées. Les traverses, ou ce qui avait pu en tenir lieu dans les intervalles, avaient disparu. Naturellement, la forêt encerclait le tout. La berge du fleuve était dégagée, et au bord de l'eau je vis un Blanc, sous un chapeau grand comme une roue de charrette, qui faisait des signes répétés de tout le bras. En examinant la lisière de la forêt, je fus presque sûr de distinguer des mouvements – des silhouettes humaines glissant çà et là. Je passai prudemment, puis stoppai les machines et laissai le vapeur redescendre avec le courant. L'homme du rivage se mit à crier, nous pressant d'aborder. "On nous a attaqués, cria le directeur d'une voix perçante. – Je sais… je sais… Tout va bien, hurla l'autre en retour, sur un ton parfaitement guilleret. Approchez. Tout va bien. Je suis content."

« Son aspect me rappelait quelque chose que j'avais vu – quelque chose de drôle que j'avais

seen – something funny I had seen somewhere. As I manœuvred to get alongside, I was asking myself, "What does this fellow look like?" Suddenly I got it. He looked like a harlequin. His clothes had been made of some stuff that was brown holland probably, but it was covered with patches all over, with bright patches, blue, red, and yellow, – patches on the back, patches on the front, patches on elbows, on knees; coloured binding around his jacket, scarlet edging at the bottom of his trousers; and the sunshine made him look extremely gay and wonderfully neat withal, because you could see how beautifully all this patching had been done. A beardless, boyish face, very fair, no feature to speak of, nose peeling, little blue eyes, smiles and frowns chasing each other over that open countenance like sunshine and shadow on a wind-swept plain. "Look out, captain!" he cried; "there's a snag lodged in here last night." What! Another snag? I confess I swore shamefully. I had nearly holed my cripple, to finish off that charming trip. The harlequin on the bank turned his little pug-nose up to me. "You English?" he asked, all smiles. "Are you?" I shouted from the wheel. The smiles vanished, and he shook his head as if sorry for my disappointment. Then he brightened up. "Never mind!" he cried, encouragingly. "Are we in time?" I asked. "He is up there," he replied, with a toss of the head up the hill, and becoming gloomy all of a sudden.

vu quelque part. Comme je manœuvrais pour accoster, je me demandais : "À quoi ressemble cet animal ?" Soudain le déclic se fit. Il ressemblait à un arlequin. Ses vêtements avaient été taillés dans une étoffe qui était sans doute de la toile écrue, mais elle disparaissait sous les pièces, des pièces de couleur vive, bleue, rouge et jaune – des pièces sur le dos, des pièces sur le devant, des pièces aux coudes, aux genoux ; du galon de couleur tout autour de la veste, un liséré écarlate au bas de son pantalon ; et le soleil lui donnait un air extrêmement gai, et tiré à quatre épingles avec ça, parce qu'on voyait avec quel soin tout ce rapiéçage avait été fait. Un visage imberbe, adolescent, très blond, sans traits marqués, le nez qui pelait, de petits yeux bleus, sourires et froncements de sourcils se succédant rapidement sur cette physionomie ouverte comme le soleil et l'ombre sur une plaine balayée par le vent. "Attention, capitaine ! cria-t-il ; il y a un chicot qui s'est logé ici hier soir." Quoi ! encore un chicot ! J'avoue que je jurai comme un charretier. J'avais failli ouvrir une brèche dans la coque de mon grand malade, pour mettre la dernière touche à ce charmant voyage d'agrément. L'arlequin de la berge leva vers moi son petit nez en pied de marmite. "Êtes anglais ? demanda-t-il, tout sourire. – Et vous ?" criai-je de la barre. Le sourire disparut, et il secoua la tête, comme s'il était navré de me décevoir. Puis il se rasséréna. "Ça ne fait rien ! s'écria-t-il d'un ton encourageant. – Nous arrivons à temps ? demandai-je. – Il est là-haut", répliqua-t-il en désignant la colline d'un mouvement de tête, et en s'assombrissant tout à coup.

His face was like the autumn sky, overcast one moment and bright the next.

'When the manager, escorted by the pilgrims, all of them armed to the teeth, had gone to the house this chap came on board. "I say, I don't like this. These natives are in the bush," I said. He assured me earnestly it was all right. "They are simple people," he added; "well, I am glad you came. It took me all my time to keep them off." "But you said it was all right," I cried. "Oh, they meant no harm," he said; and as I stared he corrected himself, "Not exactly." Then vivaciously, "My faith, your pilot-house wants a clean-up!" In the next breath he advised me to keep enough steam on the boiler to blow the whistle in case of any trouble. "One good screech will do more for you than all your rifles. They are simple people," he repeated. He rattled away at such a rate he quite overwhelmed me. He seemed to be trying to make up for lots of silence, and actually hinted, laughing, that such was the case. "Don't you talk with Mr Kurtz?" I said. "You don't talk with that man – you listen to him," he exclaimed with severe exaltation. "But now –" He waved his arm, and in the twinkling of an eye was in the uttermost depths of despondency. In a moment he came up again with a jump, possessed himself of both hands, shook them continuously, while he gabbled: "Brother sailor... honour... pleasure... delight... introduce myself... Russian... son of an arch-priest...

Son visage était comme le ciel en automne, un moment couvert, et l'instant d'après bien clair.

« Lorsque le directeur, escorté des pèlerins, tous armés jusqu'aux dents, se fut mis en route pour la maison, ce type monta à bord. "Dites donc, je n'aime pas ça. Ces indigènes qui sont dans les taillis", dis-je. Il m'assura avec force que tout allait bien. "Ce sont des gens simples, ajouta-t-il ; eh bien, je suis content que vous soyez là. J'ai passé mon temps à les éloigner. – Mais vous dites que tout va bien, m'écriai-je. – Oh, ils n'avaient pas de mauvaises intentions", dit-il ; et comme j'écarquillais les yeux, il rectifia : "Pas exactement." Puis, avec vivacité : "Ma parole, votre chambre de navigation a besoin d'un bon nettoyage !" Il me conseilla, sans reprendre souffle, de garder assez de vapeur dans la chaudière pour actionner le sifflet en cas d'ennui quelconque. "Un bon coup strident vous sera plus utile que toutes vos carabines. Ce sont des gens simples", répéta-t-il. Il avait un tel débit que j'en étais abasourdi. On avait l'impression qu'il essayait de rattraper de longues périodes de silence, et lui-même fit entendre, en riant, que c'était bien le cas. "Vous ne parlez pas avec M. Kurtz ? dis-je. – On ne parle pas avec cet homme-là – on l'écoute, s'écria-t-il, en proie à une austère exaltation. Mais maintenant…" Il fit un grand geste du bras, et se retrouva en un clin d'œil au fin fond de l'abattement. Il en remonta d'un bond l'instant d'après, s'empara de mes deux mains, et les secoua sans discontinuer, tout en jacassant : "Confrère marin… honneur… plaisir… ravi… me présente… Russe… fils d'un archiprêtre…

Government of Tambov... What? Tobacco! English tobacco; the excellent English tobacco! Now, that's brotherly. Smoke? Where's a sailor that does not smoke?"

'The pipe soothed him, and gradually I made out he had run away from school, had gone to sea in a Russian ship; ran away again; served some time in English ships; was now reconciled with the arch-priest. He made a point of that. "But when one is young one must see things, gather experience, ideas; enlarge the mind." "Here!" I interrupted. "You can never tell! Here I met Mr Kurtz," he said, youthfully solemn and reproachful. I held my tongue after that. It appears he had persuaded a Dutch trading-house on the coast to fit him out with stores and goods, and had started for the interior with a light heart, and no more idea of what would happen to him than a baby. He had been wandering about that river for nearly two years alone, cut off from everybody and everything. "I am not so young as I look. I am twenty-five," he said. "At first old Van Shuyten would tell me to go to the devil," he narrated with keen enjoyment; "but I stuck to him, and talked and talked, till at last he got afraid I would talk the hind-leg off his favourite dog, so he gave me some cheap things and a few guns, and told me he hoped he would never see my face again. Good old Dutchman, Van Shuyten. I've sent him one small lot of ivory

Gouvernement de Tambov[1]… Quoi! du tabac! Du tabac anglais; l'excellent tabac anglais! Voilà qui est confraternel. Si je fume? Quel est le marin qui ne fume pas?"

« La pipe le calma, et je démêlai peu à peu qu'il s'était enfui du collège, s'était embarqué sur un navire russe; enfui de nouveau; avait servi quelque temps sur des navires anglais; s'était maintenant réconcilié avec l'archiprêtre. Il insista là-dessus. "Mais quand on est jeune, on doit voir des choses, amasser de l'expérience, des idées; s'ouvrir l'esprit. – Ici? l'interrompis-je. – On ne sait jamais! C'est ici que j'ai rencontré M. Kurtz", dit-il sur un ton solennel et réprobateur bien de son âge. Après quoi je tins ma langue. Il apparaît qu'il avait persuadé une firme néerlandaise de la côte de l'équiper complètement en provisions et marchandises, et était parti pour l'intérieur d'un cœur léger, et sans plus d'idée de ce qui l'attendait qu'un enfant qui vient de naître. Il avait erré dans le bassin de ce fleuve, seul, pendant près de deux ans, coupé de tout et de tous. "Je ne suis pas aussi jeune que j'en ai l'air. J'ai vingt-cinq ans, dit-il. Au début, le vieux Van Shuyten m'envoyait au diable, racontait-il en jubilant; mais je n'ai pas lâché prise, je parlais et parlais, tant qu'à la fin il a eu peur que je ne noie son chien favori dans ma salive, alors il m'a donné un peu de camelote, quelques fusils, et m'a dit qu'il espérait bien ne jamais revoir mon museau. Brave vieux Hollandais, ce Van Shuyten. Il y a un an, je lui ai envoyé un maigre lot d'ivoire,

1. Au sud-est de Moscou.

a year ago, so that he can't call me a little thief when I get back. I hope he got it. And for the rest I don't care. I had some wood stacked for you. That was my old house. Did you see?"

'I gave him Towson's book. He made as though he would kiss me, but restrained himself. "The only book I had left, and I thought I had lost it," he said, looking at it ecstatically. "So many accidents happen to a man going about alone, you know. Canoes get upset sometimes – and sometimes you've got to clear out so quickly when the people get angry." He thumbed the pages. "You made notes in Russian?" I asked. He nodded. "I thought they were written in cipher," I said. He laughed, then became serious. "I had lots of trouble to keep these people off," he said. "Did they want to kill you?" I asked. "Oh, no!" he cried, and checked himself. "Why did they attack us?" I pursued. He hesitated, then said shamefacedly, "They don't want him to go." "Don't they?" I said, curiously. He nodded a nod full of mystery and wisdom. "I tell you," he cried, "this man has enlarged my mind." He opened his arms wide, staring at me with his little blue eyes that were perfectly round.'

de manière qu'il ne puisse pas me traiter de petit voleur quand je reviendrais. J'espère qu'il l'a reçu. Quant au reste, ça m'est égal. J'avais fait préparer un tas de bois à votre intention. C'était mon ancienne maison. Vous avez vu?"

«Je lui donnai le livre de Towson. Il parut vouloir me sauter au cou, mais se retint. "Le seul livre qui me restât, et je croyais l'avoir perdu, dit-il en le regardant d'un air extasié. Vous savez, il arrive tant d'accidents à qui circule seul. Quelquefois les pirogues se retournent – et quelquefois il vous faut déguerpir si vite quand les gens se mettent en colère." Il feuilleta les pages. "Vous l'avez annoté en russe?" demandai-je. Il acquiesça de la tête. "J'ai cru que c'était une écriture chiffrée", dis-je. Il rit, puis reprit sa gravité. "J'ai eu un mal de chien pour tenir ces gens à distance, dit-il. – Ils voulaient vous tuer? demandai-je. – Oh non!" s'écria-t-il, puis s'arrêta net. "Pourquoi nous ont-ils attaqués?" poursuivis-je. Il hésita, puis dit, penaud : "Ils ne veulent pas le laisser partir. – Ils ne veulent pas? fis-je, avec curiosité. Il hocha la tête en signe d'assentiment – un hochement plein de mystère et de sagacité. "Je vous le dis, s'écria-t-il, cet homme m'a ouvert l'esprit." Il écarta tout grands les bras, me fixant de ses petits yeux bleus qui étaient parfaitement ronds. »

III

'I looked at him, lost in astonishment. There he was before me, in motley, as though he had absconded from a troupe of mimes, enthusiastic, fabulous. His very existence was improbable, inexplicable, and altogether bewildering. He was an insoluble problem. It was inconceivable how he had existed, how he had succeeded in getting so far, how he had managed to remain – why he did not instantly disappear. "I went a little farther," he said, "then still a little farther – till I had gone so far that I don't know how I'll ever get back. Never mind. Plenty time. I can manage. You take Kurtz away quick – quick – I tell you." The glamour of youth enveloped his parti-coloured rags, his destitution, his loneliness, the essential desolation of his futile wanderings. For months – for years – his life hadn't been worth a day's purchase; and there he was gallantly, thoughtlessly alive, to all appearance indestructible solely by the virtue

III

«Je le regardais, éperdu de stupeur. Il était là, devant moi, en habit d'arlequin, comme s'il avait faussé compagnie à une troupe de mimes, enthousiaste, fabuleux. Son existence même était invraisemblable, inexplicable et totalement déconcertante. C'était un problème insoluble. Comment il avait subsisté, comment il avait réussi à parvenir aussi loin, comment il s'était débrouillé pour y rester – pourquoi il ne disparaissait pas sur-le-champ, tout cela était inconcevable. "Je suis allé un peu plus loin, dit-il, puis un peu plus loin encore – jusqu'au jour où je me suis trouvé si loin que je ne sais pas comment je pourrai jamais revenir. N'importe. Tout le temps devant moi. Je peux me débrouiller. Mais vous, emmenez vite Kurtz – vite – croyez-moi." L'éclat magique de la jeunesse nimbait ses hardes multicolores, son dénuement, sa solitude, la désolation foncière de ses vaines errances. Depuis des mois – des années –, sa vie était extraordinairement précaire ; et il était là, courageusement, insoucieusement vivant, selon toute apparence indestructible par la seule vertu

of his few years and of his unreflecting audacity. I was seduced into something like admiration – like envy. Glamour urged him on, glamour kept him unscathed. He surely wanted nothing from the wilderness but space to breathe in and to push on through. His need was to exist, and to move onwards at the greatest possible risk, and with a maximum of privation. If the absolutely pure, uncalculating, unpractical spirit of adventure had ever ruled a human being, it ruled this be-patched youth. I almost envied him the possession of this modest and clear flame. It seemed to have consumed all thought of self so completely, that even while he was talking to you, you forgot that it was he – the man before your eyes – who had gone through these things. I did not envy him his devotion to Kurtz, though. He had not meditated over it. It came to him, and he accepted it with a sort of eager fatalism. I must say that to me it appeared about the most dangerous thing in every way he had come upon so far.

'They had come together unavoidably, like two ships becalmed near each other, and lay rubbing sides at last. I suppose Kurtz wanted an audience, because on a certain occasion, when encamped in the forest, they had talked all night, or more probably Kurtz had talked. "We talked of everything," he said, quite transported at the recollection. "I forgot there was such a thing as sleep. The night

de son jeune âge et de son audace irréfléchie. Je me laissais aller à quelque chose comme de l'admiration – comme de l'envie. Un éclat magique le poussait à avancer, un éclat magique le préservait de toute atteinte. Il ne demandait sûrement rien au monde sauvage, que la place d'y respirer et de pousser toujours plus loin. Ce qu'il lui fallait, c'était subsister et aller de l'avant avec le plus de risques possible, et un maximum de privations. Si l'esprit d'aventure absolument pur, sans calcul ni souci pratique, avait jamais régné sur un être humain, il régnait sur ce garçon rapiécé. Je lui enviais presque la possession de cette flamme modeste et claire. Elle semblait avoir si complètement consumé toute pensée égoïste que, tandis même qu'il vous parlait, vous oubliiez que c'était lui – qui était devant vos yeux – qui avait passé par toutes ces épreuves. Je ne lui enviais cependant pas sa dévotion à Kurtz. Il n'y avait pas longuement réfléchi. Elle lui était venue, et il l'avait acceptée avec une sorte de fatalisme avide. Je dois dire qu'à mes yeux, c'était à peu près la chose la plus dangereuse, à tous égards, qu'il eût rencontrée jusque-là.

« Ils s'étaient inévitablement rencontrés, comme deux navires encalminés l'un près de l'autre, qui finissent par se retrouver bord à bord. Je suppose que Kurtz avait besoin d'un public, car en une certaine occasion, où ils campaient dans la forêt, ils avaient parlé, ou, plus probablement, Kurtz avait parlé, toute la nuit. "Nous avons parlé de tout, dit-il, tout à fait transporté par ce souvenir. J'oubliai jusqu'à l'existence du sommeil. La nuit

did not seem to last an hour. Everything! Everything!... Of love, too." "Ah, he talked to you of love!" I said, much amused. "It isn't what you think," he cried, almost passionately. "It was in general. He made me see things – things."

'He threw his arms up. We were on deck at the time, and the headman of my wood-cutters, lounging near by, turned upon him his heavy and glittering eyes. I looked around, and I don't know why, but I assure you that never, never before, did this land, this river, this jungle, the very arch of this blazing sky, appear to me so hopeless and so dark, so impenetrable to human thought, so pitiless to human weakness. "And, ever since, you have been with him, of course?" I said.

'On the contrary. It appears their intercourse had been very much broken by various causes. He had, as he informed me proudly, managed to nurse Kurtz through two illnesses (he alluded to it as you would to some risky feat), but as a rule Kurtz wandered alone, far in the depths of the forest. "Very often coming to this station, I had to wait days and days before he would turn up," he said. "Ah, it was worth waiting for! – sometimes." "What was he doing? exploring or what?" I asked. "Oh, yes, of course;" he had discovered lots of villages, a lake, too – he did not know exactly in what direction; it was dangerous to inquire too much – but mostly his expeditions

ne parut pas durer une heure. De tout! De tout!...
De l'amour aussi. – Ah, il vous a parlé d'amour!
dis-je, fort amusé. – Ce n'est pas ce que vous
croyez, s'écria-t-il avec presque de la passion.
C'était en général. Il m'a fait découvrir des choses
– des choses."

«Il leva vivement les bras. Nous étions alors sur
le pont, et le chef de mes bûcherons, qui traînas-
sait par là, tourna vers lui ses yeux lourds et
brillants. Je regardai alentour, et je ne sais pourquoi, mais je vous assure que jamais, jamais auparavant ce pays, ce fleuve, cette jungle, la voûte
même de ce ciel de feu ne m'étaient apparus si
vides d'espoir et si sombres, si impénétrables à la
pensée humaine, si impitoyables à la faiblesse
humaine. "Et depuis, naturellement, vous ne l'avez
pas quitté?" fis-je.

«Au contraire. Il apparaît que leurs relations
avaient été très intermittentes, pour diverses raisons. Il avait, ainsi qu'il m'en informa fièrement,
réussi à soigner Kurtz tout au long de deux maladies (il en parlait comme on ferait de quelque
périlleux exploit), mais en règle générale Kurtz
partait seul à l'aventure, loin dans les profondeurs
de la forêt. "Très souvent, quand j'arrivais à ce
poste-ci, il me fallait attendre des jours et des jours
qu'il reparaisse, dit-il. Ah, ça valait la peine
d'attendre – certaines fois. – Qu'est-ce qu'il faisait?
De l'exploration, ou quoi? demandai-je. – Oh oui,
bien sûr." Il avait découvert des quantités de villages, un lac, aussi – il ne savait pas exactement
dans quelle direction; il était dangereux de poser
trop de questions – mais l'objet de ces expéditions

had been for ivory. "But he had no goods to trade with by that time," I objected. "There is a good lot of cartridges left even yet," he answered, looking away. "To speak plainly, he raided the country," I said. He nodded. "Not alone, surely!" He muttered something about the villages round that lake. "Kurtz got the tribe to follow him, did he?" I suggested. He fidgeted a little. "They adored him," he said. The tone of these words was so extraordinary that I looked at him searchingly. It was curious to see his mingled eagerness and reluctance to speak of Kurtz. The man filled his life, occupied his thoughts, swayed his emotions. "What can you expect?" he burst out; "he came to them with thunder and lightning, you know – and they had never seen anything like it – and very terrible. He could be very terrible. You can't judge Mr Kurtz as you would an ordinary man. No, no, no! Now – just to give you an idea – I don't mind telling you, he wanted to shoot me, too, one day – but I don't judge him." "Shoot you!" I cried. "What for?" "Well, I had a small lot of ivory the chief of that village near my house gave me. You see I used to shoot game for them. Well, he wanted it, and wouldn't hear reason. He declared he would shoot me unless I gave him the ivory and then cleared out of the country, because he could do so, and had a fancy for it, and there was nothing on earth to prevent him killing

était avant tout la recherche de l'ivoire. "Mais il n'avait déjà plus de marchandises à troquer, objectai-je. – Même maintenant, il reste une bonne quantité de cartouches, répondit-il en détournant les yeux. – Pour parler clairement, il razziait le pays", fis-je. Il acquiesça de la tête. "Pas tout seul, évidemment!" Il marmonna quelque chose à propos des villages qui entouraient le lac. "Kurtz a entraîné la tribu à sa suite, c'est ça?" avançai-je. Il se tortilla un peu. "Ils l'adoraient", dit-il. Le ton de ces paroles était si extraordinaire que je le regardai avec grande attention. Il était curieux de voir à quel point il brûlait et redoutait à la fois de parler de Kurtz. Cet homme emplissait sa vie, occupait ses pensées, régnait sur ses émotions. "Qu'est-ce que vous imaginez? explosa-t-il; il est venu à eux avec le tonnerre et l'éclair, vous savez – eux n'avaient jamais rien vu de semblable – et vraiment terrible. Il pouvait être vraiment terrible. On ne peut pas juger M. Kurtz comme on ferait d'un homme ordinaire. Non, non, non! Tenez – simplement pour vous donner une idée –, je peux bien vous dire qu'un jour il voulut m'abattre, moi aussi – mais je ne le juge pas. – Vous abattre! m'écriai-je. Pourquoi donc? – Eh bien, j'avais un peu d'ivoire que le chef de ce village à côté de ma maison m'avait donné. J'abattais du gibier pour eux, voyez-vous. Eh bien, il voulait cet ivoire et pas moyen de lui faire entendre raison. Il déclara qu'il m'abattrait, à moins que je ne lui donne l'ivoire avant de déguerpir de la contrée, parce qu'il avait le pouvoir, et l'envie, de le faire, et qu'il n'y avait rien au monde pour l'empêcher de tuer

whom he jolly well pleased. And it was true, too. I gave him the ivory. What did I care! But I didn't clear out. No, no. I couldn't leave him. I had to be careful, of course, till we got friendly again for a time. He had his second illness then. Afterwards I had to keep out of the way; but I didn't mind. He was living for the most part in those villages on the lake. When he came down to the river, sometimes he would take to me, and sometimes it was better for me to be careful. This man suffered too much. He hated all this, and somehow he couldn't get away. When I had a chance I begged him to try and leave while there was time; I offered to go back with him. And he would say yes, and then he would remain; go off on another ivory hunt; disappear for weeks; forget himself amongst these people – forget himself – you know." "Why! he's mad," I said. He protested indignantly. Mr Kurtz couldn't be mad. If I had heard him talk, only two days ago, I wouldn't dare hint at such a thing... I had taken up my binoculars while we talked, and was looking at the shore, sweeping the limit of the forest at each side and at the back of the house. The consciousness of there being people in that bush, so silent, so quiet – as silent and quiet as the ruined house on the hill – made me uneasy. There was no sign on the face of nature of this amazing tale that was not so much told as suggested to me in desolate exclamations, completed by shrugs, in interrupted phrases,

qui bon lui semblait. Et c'était vrai, avec ça. Je lui
donnai l'ivoire. Pour ce que je m'en souciais! Mais
je n'ai pas déguerpi. Non, non. Je ne pouvais pas
le laisser. Bien sûr, il me fallut faire attention,
jusqu'à ce que nous redevenions amis pour un
temps. C'est alors qu'il a eu sa seconde maladie.
Après, j'ai dû m'effacer; mais ça m'était égal. Il
vivait la plupart du temps dans ces villages sur le
lac. Quand il descendait jusqu'au fleuve, tantôt il
me témoignait de l'amitié, tantôt j'avais intérêt à
être prudent. Cet homme souffrait trop. Il détes-
tait tout cela, et cependant il ne pouvait s'en aller.
Quand j'en avais l'occasion, je le suppliais
d'essayer de partir pendant qu'il était encore
temps; j'offrais de l'accompagner. Et il disait oui,
et puis il restait; repartait pour une autre chasse à
l'ivoire; disparaissait pendant des semaines;
s'oubliait parmi cette peuplade – s'oubliait – vous
voyez. – Eh bien quoi! il est fou", dis-je. Il protesta,
indigné. M. Kurtz ne pouvait pas être fou. Si je
l'avais entendu parler, il y avait seulement deux
jours, je n'oserais pas insinuer une chose pareille... J'avais pris mes jumelles tandis que nous
parlions, et je regardais le rivage, en balayant la
lisière de la forêt de chaque côté de la maison, et
derrière elle. Savoir qu'il y avait des gens dans ce
taillis tellement silencieux, tellement tranquille –
aussi silencieux et tranquille que la maison délabrée sur la colline –, me mettait mal à l'aise. Il n'y
avait aucun signe sur le visage de la nature de cette
histoire stupéfiante qui m'était moins racontée
que suggérée en exclamations affligées, complé-
tées par des haussements d'épaules, en phrases

in hints ending in deep sighs. The woods were unmoved, like a mask – heavy, like the closed door of a prison – they looked with their air of hidden knowledge, of patient expectation, of unapproachable silence. The Russian was explaining to me that it was only lately that Mr Kurtz had come down to the river, bringing along with him all the fighting men of that lake tribe. He had been absent for several months – getting himself adored, I suppose – and had come down unexpectedly, with the intention to all appearance of making a raid either across the river or down stream. Evidently the appetite for more ivory had got the better of the – what shall I say? – less material aspirations. However he had got much worse suddenly. "I heard he was lying helpless, and so I came up – took my chance," said the Russian. "Oh, he is bad, very bad." I directed my glass to the house. There were no signs of life, but there was the ruined roof, the long mud wall peeping above the grass, with three little square window-holes, no two the same size: all this brought within reach of my hand, as it were. And then I made a brusque movement, and one of the remaining posts of that vanished fence leaped up in the field of my glass. You remember I told you I had been struck at the distance by certain attempts at ornamentation, rather remarkable in the ruinous aspect of the place. Now I had suddenly a nearer view, and its first result was to make me throw my

interrompues, en sous-entendus qui s'achevaient sur de profonds soupirs. Les bois étaient immobiles, comme un masque – pesants, comme la porte refermée d'une prison –, ils regardaient avec leur air de savoir occulte, d'attente patiente, de silence farouche. Le Russe m'expliquait que M. Kurtz n'était descendu jusqu'au fleuve, en amenant avec lui tous les guerriers de cette tribu du lac, que depuis peu. Il avait été absent pendant plusieurs mois – occupé à se faire adorer, je suppose – et était arrivé à l'improviste, avec l'intention, selon toute apparence, de faire une razzia, soit sur l'autre rive du fleuve, soit en aval. Manifestement, la fringale d'ivoire l'avait emporté sur les – comment dirai-je ? – les aspirations moins matérielles. Mais tout à coup son état avait beaucoup empiré. "J'ai entendu dire qu'il était alité, sans ressources, et je suis accouru – j'ai pris le risque, dit le Russe. Oh, il va mal, très mal." Je braquai mes jumelles sur la maison. Il n'y avait aucun signe de vie, mais il y avait le toit délabré, le long mur de torchis qui se montrait à peine au-dessus des hautes herbes, avec trois petites embrasures de fenêtres carrées, toutes de dimensions différentes; tout cela placé pour ainsi dire à portée de main. Et puis, j'eus un mouvement brusque, et l'un des pieux restant de la barrière évanouie bondit dans le champ de ma lunette. Vous vous rappelez que je vous ai raconté comme j'avais été frappé, de loin, par certains essais d'ornementation qui se remarquaient d'autant plus dans le délabrement général du lieu. Soudain, j'en eus alors une vision rapprochée, et son premier effet fut de me faire rejeter la

head back as if before a blow. Then I went carefully from post to post with my glass, and I saw my mistake. These round knobs were not ornamental but symbolic; they were expressive and puzzling, striking and disturbing – food for thought and also for the vultures if there had been any looking down from the sky; but at all events for such ants as were industrious enough to ascend the pole. They would have been even more impressive, those heads on the stakes, if their faces had not been turned to the house. Only one, the first I had made out, was facing my way. I was not so shocked as you may think. The start back I had given was really nothing but a movement of surprise. I had expected to see a knob of wood there, you know. I returned deliberately to the first I had seen – and there it was, black, dried, sunken, with closed eyelids – a head that seemed to sleep at the top of that pole, and, with the shrunken dry lips showing a narrow white line of teeth, was smiling, too, smiling continuously at some endless and jocose dream of that eternal slumber.

'I am not disclosing any trade secrets. In fact, the manager said afterwards that Mr Kurtz's methods had ruined the district. I have no opinion on that point, but I want you clearly to understand that there was nothing exactly profitable in these heads being there. They only showed that Mr Kurtz lacked restraint in the gratification of his various lusts,

tête en arrière comme devant un coup. Puis je pro-
menai attentivement mes jumelles d'un poteau à
l'autre, et je vis mon erreur. Ces billots ronds
n'étaient pas ornementaux, mais symboliques ; ils
étaient expressifs et déconcertants, frappants et
inquiétants – un aliment pour la réflexion, et aussi
pour les vautours, s'il s'en était trouvé scrutant du
haut des airs ; un aliment en tout cas pour les fourmis assez industrieuses pour monter au sommet
du poteau. Elles auraient été plus impression-
nantes encore, ces têtes fichées sur les pieux, si
leur visage n'avait été tourné vers la maison. Une
seule, celle que j'avais vue la première, me faisait
face. Je ne fus pas aussi secoué que vous pourriez
le croire. Le sursaut que j'avais eu n'était, en réalité, rien d'autre qu'un mouvement de surprise. Je
m'attendais, comprenez-vous, à voir là une bille de
bois. Je revins lentement à la première que j'avais
vue – elle était là, noire, desséchée, hâve, les paupières closes –, une tête qui paraissait dormir au
sommet de ce poteau ; les lèvres sèches et ratati-
nées laissant paraître l'étroite ligne blanche des
dents, elle souriait sans cesse à quelque rêve interminable et facétieux dans son sommeil éternel.

«Je ne trahis pas de secrets commerciaux. En
fait, le directeur dit par la suite que les méthodes
de M. Kurtz avaient gâté complètement le secteur.
Je n'ai pas d'opinion sur ce point, mais je veux
qu'il soit bien clair dans votre esprit que la présence de ces têtes à cet endroit n'avait aucune
chance d'être précisément profitable. Elles
montraient seulement que M. Kurtz manquait de
retenue dans la satisfaction de ses divers appétits,

that there was something wanting in him – some small matter which, when the pressing need arose, could not be found under his magnificent eloquence. Whether he knew of this deficiency himself I can't say. I think the knowledge came to him at last – only at the very last. But the wilderness had found him out early, and had taken on him a terrible vengeance for the fantastic invasion. I think it had whispered to him things about himself which he did not know, things of which he had no conception till he took counsel with this great solitude – and the whisper had proved irresistibly fascinating. It echoed loudly within him because he was hollow at the core... I put down the glass, and the head that had appeared near enough to be spoken to seemed at once to have leaped away from me into inaccessible distance.

'The admirer of Mr Kurtz was a bit crestfallen. In a hurried, indistinct voice he began to assure me he had not dared to take these – say, symbols – down. He was not afraid of the natives; they would not stir till Mr Kurtz gave the word. His ascendancy was extraordinary. The camps of these people surrounded the place, and the chiefs came every day to see him. They would crawl... "I don't want to know anything of the ceremonies used when approaching Mr Kurtz," I shouted. Curious, this feeling that came over me that such details would be more intolerable than those heads drying on the stakes under Mr Kurtz's windows.

qu'il y avait en lui quelque chose qui faisait défaut
– un petit je-ne-sais-quoi qui, lorsque la nécessité
pressante s'en faisait sentir, était introuvable sous
son éloquence magnifique. Je ne puis dire si lui-
même avait conscience de cette carence. Je crois
qu'elle lui vint à la fin – seulement tout à la fin.
Mais le monde sauvage l'avait très vite percé à jour,
et avait tiré une terrible vengeance de sa fantastique invasion. Je crois qu'il lui avait murmuré à
l'oreille des choses qu'il ignorait sur son propre
compte, des choses dont il n'avait aucune idée
avant son tête-à-tête avec cette grande solitude – et
que ce murmure avait exercé une irrésistible fascination. Il éveilla en lui un écho sonore, parce qu'il
était creux jusqu'au plus profond de son être…
J'abaissai les jumelles, et la tête qui paraissait assez
proche pour qu'on pût lui adresser la parole sembla d'un coup s'être reculée d'un bond jusqu'à
une distance inaccessible.

    « L'admirateur de M. Kurtz était un peu penaud.
D'une voix précipitée et indistincte, il se mit à
m'assurer qu'il n'avait pas osé décrocher ces –
mettons, ces symboles. Il n'avait pas peur des indigènes ; ils ne bougeraient pas tant que M. Kurtz ne
leur en donnerait pas l'ordre. Son ascendant était
extraordinaire. Cette peuplade avait ses campe-
ments alentour, et les chefs venaient lui rendre
visite tous les jours. Ils rampaient… "Je ne veux rien
savoir du cérémonial qu'on observe pour approcher M. Kurtz", m'écriai-je. Curieux, ce sentiment
qui m'envahit que de semblables détails seraient
plus insupportables que ces têtes qui séchaient
sur les pieux sous les fenêtres de M. Kurtz.

After all, that was only a savage sight, while I seemed at one bound to have been transported into
some lightless region of subtle horrors, where pure,
uncomplicated savagery was a positive relief, being
something that had a right to exist – obviously – in
the sunshine. The young man looked at me with
surprise. I suppose it did not occur to him that
Mr Kurtz was no idol of mine. He forgot I hadn't
heard any of these splendid monologues on, what
was it? on love, justice, conduct of life – or what
not. If it had come to crawling before Mr Kurtz, he
crawled as much as the veriest savage of them all. I
had no idea of the conditions, he said: these heads
were the heads of rebels. I shocked him excessively
by laughing. Rebels! What would be the next defi-
nition I was to hear? There had been enemies, criminals, workers – and these were rebels. Those
rebellious heads looked very subdued to me on
their sticks. "You don't know how such a life tries a
man like Kurtz," cried Kurtz's last disciple. "Well,
and you?" I said. "I! I! I am a simple man. I have
no great thoughts. I want nothing from anybody.
How can you compare me to?…" His feelings were
too much for speech, and suddenly he broke down.
"I don't understand," he groaned. "I've been
doing my best to keep him alive, and that's enough.
I had no hand in all this. I have no abilities.

Elles n'offraient, après tout, qu'un spectacle sauvage, alors que j'avais l'impression d'avoir été transporté d'un bond en quelque contrée ombreuse d'horreurs subtiles, où la sauvagerie pure et simple était un véritable soulagement, quelque chose qui avait manifestement le droit à l'existence au grand soleil. Le jeune homme me regarda, surpris. Que M. Kurtz ne fût pas mon idole ne l'avait pas effleuré, je suppose. Il oubliait que je n'avais entendu aucun de ces superbes monologues sur, quoi donc déjà? l'amour, la justice, la conduite de la vie – ou autres choses. Si l'on en était à ramper devant M. Kurtz, il rampait tout autant que le sauvage le plus confirmé de la tribu. Je n'avais aucune idée des conditions, dit-il; ces têtes étaient des têtes de rebelles. Je le scandalisai énormément en riant. Des rebelles! Quelle serait la prochaine définition qu'il me serait donné d'entendre? Il y avait eu les ennemis, les criminels, les travailleurs – et ceux-ci étaient des rebelles. Ces têtes rebelles me paraissaient bien soumises sur leur bout de bois. "Vous ne pouvez pas savoir quelle épreuve une vie pareille représente pour quelqu'un comme Kurtz, s'écria le dernier des disciples de Kurtz. – Eh bien, et pour vous? fis-je. – Pour moi! moi! Je suis quelqu'un de simple. Je n'ai pas de grandes pensées. Je n'attends rien de personne. Comment pouvez-vous me comparer à…" Ses émotions étaient trop fortes pour s'exprimer par la parole, et soudain il craqua. "Je ne comprends pas, gémit-il. J'ai fait de mon mieux pour le garder en vie, et en voilà assez. Je ne suis pour rien dans tout ça. Je n'ai pas de capacités.

There hasn't been a drop of medicine or a mouth-ful of invalid food for months here. He was shame-fully abandoned. A man like this, with such ideas. Shamefully! Shamefully! I – I – haven't slept for the last ten nights…"

'His voice lost itself in the calm of the evening. The long shadows of the forest had slipped down hill while we talked, had gone far beyond the ruin-ed hovel, beyond the symbolic row of stakes. All this was in the gloom, while we down there were yet in the sunshine, and the stretch of the river abreast of the clearing glittered in a still and dazzl-ing splendour, with a murky and overshadowed bend above and below. Not a living soul was seen on the shore. The bushes did not rustle.

'Suddenly round the corner of the house a group of men appeared, as though they had come up from the ground. They waded waist-deep in the grass, in a compact body, bearing an improvised stretcher in their midst. Instantly, in the emptiness of the landscape, a cry arose whose shrillness pierced the still air like a sharp arrow flying straight to the very heart of the land; and, as if by enchant-ment, streams of human beings – of naked human beings – with spears in their hands, with bows, with shields, with wild glances and savage move-ments, were poured into the clearing by the dark-faced and pensive forest. The bushes shook, the grass swayed for a time, and then everything stood still in attentive immobility.

Depuis des mois, il n'y a ici ni une goutte de médicament ni une cuillerée d'aliment pour malade. Il a été honteusement abandonné. Un homme pareil, avec des idées comme les siennes. Honteusement! Honteusement! Voilà – voilà dix nuits que je ne dors pas…"

« Sa voix se perdit dans le calme du soir. Tandis que nous causions, les ombres longues de la forêt avaient descendu insensiblement la colline, dépassant de beaucoup la bicoque délabrée et la rangée de pieux symboliques. Tout cela était dans l'ombre, alors que nous, en bas, étions encore au soleil, et que la partie rectiligne du cours du fleuve, à la hauteur de la clairière, brillait d'un éclat immobile, éblouissant, encadrée par un méandre ombragé et enténébré en amont, et un autre en aval. On ne voyait âme qui vive sur le rivage. Nul bruissement ne montait des taillis.

« Tout à coup, au coin de la maison surgit un groupe d'hommes, comme s'ils émanaient du sol. Ils avançaient avec effort, plongés jusqu'à la taille dans les hautes herbes, portant au milieu de leur troupe compacte une civière improvisée. À l'instant, dans le vide du paysage, un cri s'éleva, dont la vibration aiguë perça l'air immobile comme une flèche acérée dardée au cœur même de la contrée ; et, comme par enchantement, la forêt au front obscur et pensif se mit à déverser dans la clairière des flots humains – d'hommes nus – tenant à la main des lances, des arcs, des boucliers, avec des regards farouches et des mouvements sauvages. Le taillis trembla, l'herbe ondula pendant un moment, puis tout se figea dans une immobilité attentive.

"'Now, if he does not say the right thing to them we are all done for," said the Russian at my elbow. The knot of men with the stretcher had stopped, too, halfway to the steamer, as if petrified. I saw the man on the stretcher sit up, lank and with an uplifted arm, above the shoulders of the bearers. "Let us hope that the man who can talk so well of love in general will find some particular reason to spare us this time," I said. I resented bitterly the absurd danger of our situation, as if to be at the mercy of that atrocious phantom had been a dishonouring necessity. I could not hear a sound, but through my glasses I saw the thin arm extended commandingly, the lower jaw moving, the eyes of that apparition shining darkly far in its bony head that nodded with grotesque jerks. Kurtz – Kurtz – that means short in German – don't it? Well, the name was as true as everything else in his life – and death. He looked at least seven feet long. His covering had fallen off, and his body emerged from it pitiful and appalling as from a winding-sheet. I could see the cage of his ribs all astir, the bones of his arm waving. It was as though an animated image of death carved out of old ivory had been shaking its hand with menaces at a motionless crowd of men made of dark and glittering bronze. I saw him open his mouth wide – it gave him a weirdly voracious aspect, as though he had wanted to swallow all the air, all the earth, all the men

« "Allons, s'il ne leur dit pas ce qu'il faut, nous sommes tous fichus", dit à côté de moi le Russe. Le petit groupe à la civière s'était arrêté également, à mi-chemin du vapeur, comme pétrifié. Je vis l'homme étendu sur le brancard se redresser, tout efflanqué, un bras levé, au-dessus des épaules des porteurs. "Espérons que l'homme qui sait si bien parler de l'amour en général va trouver quelque raison particulière pour nous épargner cette fois-ci", dis-je. J'éprouvai un amer ressentiment devant l'absurde péril de notre situation, comme si le fait d'être à la merci de cet atroce fantôme était une nécessité infamante. Je n'entendais pas un son, mais dans mes jumelles je vis le bras maigre tendu avec autorité, la mâchoire inférieure qui remuait, les yeux de cette apparition luire d'un éclat sombre dans les profondes orbites de la tête osseuse qui s'agitait grotesquement par saccades. Kurtz – Kurtz – ça signifie "court" en allemand, n'est-ce pas ? Eh bien, le nom était aussi véridique que tout le reste dans sa vie – et dans sa mort. Il paraissait faire plus de deux mètres dix. Sa couverture avait glissé, et son corps en émergeait, aussi pitoyable et horrible que si ç'avait été un linceul. Je voyais sa cage thoracique palpiter, les os de ses bras faire de grands gestes. C'était comme si une figuration animée de la mort, sculptée dans un vieil ivoire, brandissait les mains en proférant des menaces contre une foule immobile de figures de bronze sombre et brillant. Je le vis ouvrir tout grand la bouche – ce qui lui donnait un aspect de voracité insolite, comme s'il voulait avaler tout l'air, toute la terre, tous les hommes

before him. A deep voice reached me faintly. He must have been shouting. He fell back suddenly. The stretcher shook as the bearers staggered forward again, and almost at the same time I noticed that the crowd of savages was vanishing without any perceptible movement of retreat, as if the forest that had ejected these beings so suddenly had drawn them in again as the breath is drawn in a long aspiration.

'Some of the pilgrims behind the stretcher carried his arms – two shot-guns, a heavy rifle, and a light revolver-carbine – the thunderbolts of that pitiful Jupiter. The manager bent over him murmuring as he walked beside his head. They laid him down in one of the little cabins – just a room for a bedplace and a camp-stool or two, you know. We had brought his belated correspondence, and a lot of torn envelopes and open letters littered his bed. His hand roamed feebly amongst these papers. I was struck by the fire of his eyes and the composed languor of his expression. It was not so much the exhaustion of disease. He did not seem in pain. This shadow looked satiated and calm, as though for the moment it had had its fill of all the emotions.

'He rustled one of the letters, and looking straight in my face said, "I am glad." Somebody had been writing to him about me. These special recommendations were turning up again. The volume of tone he emitted without effort, almost

qui se trouvaient devant lui. Je perçus faiblement une voix profonde. Il avait dû crier. Il retomba brusquement en arrière. Comme les porteurs repartaient en vacillant, la civière s'agita et presque en même temps je remarquai que la horde des sauvages s'évanouissait sans qu'aucun mouvement de reflux fût perceptible, comme si la forêt qui avait craché ces êtres si soudainement les réabsorbait, tel le souffle repris dans une longue inspiration.

«Derrière le brancard, certains des pèlerins portaient ses armes – deux canardières, un fusil de gros calibre à canon rayé, et un mousqueton à répétition – les foudres de ce lamentable Jupiter. Le directeur se penchait sur lui, et murmurait à son oreille tout en marchant. Ils le déposèrent dans une des petites cabines – juste la place pour un lit et un pliant ou deux, vous voyez. Nous avions apporté le courrier qui l'attendait depuis longtemps, et sa couchette était jonchée de quantité d'enveloppes déchirées et de lettres ouvertes. Sa main errait parmi ces papiers, sans force. Je fus frappé par le feu de son regard et la calme langueur de son expression. Ce n'était pas tant l'épuisement de la maladie. Il ne semblait pas souffrir. Cette ombre avait l'air paisible et rassasié, comme si, pour l'instant, elle était repue de toutes les émotions.

«Il froissa l'une des lettres et dit, en me regardant bien en face : "Je suis content." Quelqu'un lui avait écrit à mon sujet. Ces recommandations particulières faisaient une nouvelle apparition. Le volume sonore qu'il émit sans effort, sans presque

263

without the trouble of moving his lips, amazed me. A voice! a voice! It was grave, profound, vibrating, while the man did not seem capable of a whisper. However, he had enough strength in him – factitious no doubt – to very nearly make an end of us, as you shall hear directly.

'The manager appeared silently in the doorway; I stepped out at once and he drew the curtain after me. The Russian, eyed curiously by the pilgrims, was staring at the shore. I followed the direction of his glance.

'Dark human shapes could be made out in the distance, flitting indistinctly against the gloomy border of the forest, and near the river two bronze figures, leaning on tall spears, stood in the sunlight under fantastic head-dresses of spotted skins, warlike and still in statuesque repose. And from right to left along the lighted shore moved a wild and gorgeous apparition of a woman.

'She walked with measured steps, draped in striped and fringed cloths, treading the earth proudly, with a slight jingle and flash of barbarous ornaments. She carried her head high; her hair was done in the shape of a helmet; she had brass leggings to the knees, brass wire gauntlets to the elbow, a crimson spot on her tawny cheek, innumerable necklaces of glass beads on her neck; bizarre things, charms, gifts of witch-men, that hung about her, glittered and trembled at every

se donner la peine de bouger les lèvres, me frappa d'étonnement. Une voix! Une voix! Elle était grave, profonde, vibrante, alors que l'homme paraissait incapable de chuchoter. Il avait cependant en lui assez de force – assurément factice – pour réussir presque à nous anéantir, comme vous n'allez pas tarder à l'apprendre.

« Le directeur apparut sans un mot dans l'embrasure de la porte ; je sortis tout de suite et il tira le rideau après moi. Le Russe, dévisagé avec curiosité par les pèlerins, fixait le rivage. Je suivis la direction de son regard.

« On pouvait apercevoir au loin des silhouettes sombres se mouvant, rapides et vagues, devant la lisière obscure de la forêt, et près du fleuve deux silhouettes de bronze, appuyées à de longues lances, se dressaient debout dans le soleil, sous de fantastiques couvre-chefs de peaux tachetées, martiales et immobiles dans leur repos statuesque. Et, de droite à gauche le long du rivage encore éclairé, se déplaçait un personnage féminin farouche et somptueux.

« Elle marchait à pas comptés, drapée dans des étoffes rayées à franges, foulant fièrement le sol dans un léger tintement d'ornements barbares qui jetaient des éclairs. Elle portait haut la tête ; sa chevelure était coiffée en casque ; elle avait les jambes gainées de cuivre jusqu'au genou, des gantelets de fil de cuivre jusqu'au coude, une tache cramoisie sur sa joue fauve, d'innombrables colliers de verroterie autour du cou ; des objets bizarres, des amulettes, dons de griots, qu'elle portait en pendeloques, étincelaient et frémissaient à chaque

step. She must have had the value of several elephant tusks upon her. She was savage and superb, wild-eyed and magnificent; there was something ominous and stately in her deliberate progress. And in the hush that had fallen suddenly upon the whole sorrowful land, the immense wilderness, the colossal body of the fecund and mysterious life seemed to look at her, pensive, as though it had been looking at the image of its own tenebrous and passionate soul.

'She came abreast of the steamer, stood still, and faced us. Her long shadow fell to the water's edge. Her face had a tragic and fierce aspect of wild sorrow and of dumb pain mingled with the fear of some struggling, half-shaped resolve. She stood looking at us without a stir, and like the wilderness itself, with an air of brooding over an inscrutable purpose. A whole minute passed, and then she made a step forward. There was a low jingle, a glint of yellow metal, a sway of fringed draperies, and she stopped as if her heart had failed her. The young fellow by my side growled. The pilgrims murmured at my back. She looked at us all as if her life had depended upon the unswerving steadiness of her glance. Suddenly she opened her bared arms and threw them up rigid above her head, as though in an uncontrollable desire to touch the sky, and at the same time the swift shadows darted out on the earth, swept around on the river, gathering the steamer into a shadowy embrace. A formidable silence hung over the scene.

pas. Elle devait avoir sur elle la valeur de plusieurs défenses d'éléphant. Elle était sauvage et superbe, hagarde et magnifique ; il y avait quelque chose de menaçant et de majestueux dans sa progression sans hâte. Et dans le silence qui s'était soudain abattu sur toute la contrée affligée, l'immense nature sauvage, le corps gigantesque de la vie féconde et mystérieuse paraissait la contempler, pensive, comme si elle contemplait l'image de sa propre âme ténébreuse et passionnée.

«Elle arriva à la hauteur du vapeur, s'immobilisa, et nous fit face. Son ombre s'allongeait jusqu'au bord de l'eau. Son visage avait un air tragique et véhément de farouche affliction et de souffrance muette, mêlées à la crainte de quelque résolution à demi formée qui tentait de s'imposer. Elle nous regardait, pétrifiée, avec l'air, tout comme la nature sauvage elle-même, de méditer longuement un impénétrable dessein. Une pleine minute s'écoula, puis elle s'avança d'un pas. Il y eut un léger cliquetis, un éclat de métal jaune, une oscillation de drapés à franges, et elle s'arrêta, comme si le cœur lui manquait. À côté de moi, le jeune homme grondait. Dans mon dos, les pèlerins murmuraient. Elle nous scrutait tous comme si sa vie dépendait de la fixité inébranlable de son regard. Tout à coup elle ouvrit ses bras découverts et les lança, raides, au-dessus de sa tête, comme dans un irrépressible désir de toucher le ciel, et en même temps l'ombre au progrès rapide s'élança sur la terre, balaya le fleuve, enlaçant le vapeur dans son étreinte ombreuse. Un silence formidable pesait sur toute la scène.

'She turned away slowly, walked on, following the bank, and passed into the bushes to the left. Once only her eyes gleamed back at us in the dusk of the thickets before she disappeared.

'"If she had offered to come aboard I really think I would have tried to shoot her," said the man of patches, nervously. "I had been risking my life every day for the last fortnight to keep her out of the house. She got in one day and kicked up a row about those miserable rags I picked up in the storeroom to mend my clothes with. I wasn't decent. At least it must have been that, for she talked like a fury to Kurtz for an hour, pointing at me now and then. I don't understand the dialect of this tribe. Luckily for me, I fancy Kurtz felt too ill that day to care, or there would have been mischief. I don't understand... No – it's too much for me. Ah, well, it's all over now."

'At this moment I heard Kurtz's deep voice behind the curtain: "Save me! – save the ivory, you mean. Don't tell me. Save *me*! Why, I've had to save you. You are interrupting my plans now. Sick! Sick! Not so sick as you would like to believe. Never mind. I'll carry my ideas out yet – I will return. I'll show you what can be done. You with your little peddling notions – you are interfering with me. I will return. I..."

«Elle se détourna lentement, s'éloigna en suivant la berge, et s'engagea dans les broussailles sur la gauche. Elle ne tourna qu'une seule fois sur nous la lueur de son regard dans l'ombre des fourrés avant de disparaître.

« "Si elle avait fait mine de monter à bord, je crois vraiment que j'aurais essayé de lui tirer dessus, dit nerveusement l'homme rapiécé. Ça fait une quinzaine que je risque ma vie tous les jours pour l'empêcher d'entrer dans la maison. Une fois, elle a réussi, et elle a fait un raffut de tous les diables à propos de ces malheureux chiffons que j'avais ramassés dans le magasin pour réparer mes vêtements. Je n'étais plus convenable. Ou du moins, ce devrait être ça, car elle a harangué Kurtz comme une furie pendant une heure, en me montrant du doigt de temps en temps. Je ne comprends pas le dialecte de cette tribu-là. Heureusement pour moi, Kurtz se sentait trop mal ce jour-là, j'imagine, sans quoi il y aurait eu du vilain. Je ne comprends pas… Non, ça me dépasse. Ah, et puis, tout ça est fini maintenant."

«À ce moment, j'entendis la voix profonde de Kurtz derrière le rideau : "Me sauver ! – vous voulez dire, sauver l'ivoire. Ne me racontez pas d'histoires. Me sauver, moi ! Allons donc, c'est moi qui ai dû vous sauver. Vous coupez court à mes projets en ce moment. Malade ! Malade ! Pas si malade que vous aimeriez le croire. Peu importe. Je mettrai quand même mes idées à exécution – je reviendrai. Je vous montrerai ce qu'on peut faire. Vous, avec vos petites idées de commis voyageur – vous me mettez des bâtons dans les roues. Je reviendrai. Je…"

269

'The manager came out. He did me the honour to take me under the arm and lead me aside. "He is very low, very low," he said. He considered it necessary to sigh, but neglected to be consistently sorrowful. "We have done all we could for him – haven't we? But there is no disguising the fact, Mr Kurtz has done more harm than good to the Company. He did not see the time was not ripe for vigorous action. Cautiously, cautiously – that's my principle. We must be cautious yet. The district is closed to us for a time. Deplorable! Upon the whole, the trade will suffer. I don't deny there is a remarkable quantity of ivory – mostly fossil. We must save it, at all events – but look how precarious the position is – and why? Because the method is unsound." "Do you," said I, looking at the shore, "call it 'unsound method'?" "Without doubt," he exclaimed, hotly. "Don't you?…"

'"No method at all," I murmured after a while. "Exactly," he exulted. "I anticipated this. Shows a complete want of judgement. It is my duty to point it out in the proper quarter." "Oh," said I, "that fellow – what's his name? – the brickmaker, will make a readable report for you." He appeared confounded for a moment. It seemed to me I had never breathed an atmosphere so vile, and I turned mentally to Kurtz for relief – positively for relief. "Nevertheless I think Mr Kurtz is a remarkable man,"

«Le directeur sortit. Il me fit l'honneur de me prendre par le bras et de me conduire à l'écart. "Il est très bas, très bas", me dit-il. Il jugea nécessaire de pousser un soupir, mais ne se donna pas le mal de rester dans le registre de l'affliction. "Nous avons fait tout ce que nous pouvions pour lui – non? Mais il ne faut pas se dissimuler que M. Kurtz a fait plus de mal que de bien à la Compagnie. Il n'a pas vu que les temps n'étaient pas mûrs pour une action vigoureuse. Prudence, prudence – tel est mon principe. Nous devons encore être prudents. Le secteur nous est fermé pour un moment. Déplorable! Au total, le commerce va souffrir. Je ne nie pas qu'il y a une quantité remarquable d'ivoire – surtout fossile. Nous devons le sauver, en tout cas – mais voyez comme la situation est précaire – et pourquoi? Parce que la méthode est douteuse. – Vous appelez ça, dis-je en regardant le rivage, une 'méthode douteuse'? – Assurément, s'écria-t-il avec emportement. Pas vous?"…

«"Ce n'est pas une méthode du tout, murmurai-je au bout d'un instant. – Exactement, jubila-t-il. C'est bien à ça que je m'attendais. Fait preuve d'un manque complet de jugement. C'est mon devoir de le souligner auprès des sphères compétentes. – Oh, fis-je, ce garçon – comment s'appelle-t-il?… Le briquetier, il vous fera un rapport bien troussé." Il parut un moment décontenancé. J'avais l'impression de n'avoir jamais respiré d'atmosphère aussi répugnante, et je me tournai mentalement vers Kurtz pour changer d'air, vraiment pour changer d'air. "Néanmoins, je pense que M. Kurtz est un homme remarquable",

I said with emphasis. He started, dropped on me a cold heavy glance, said very quietly, "He *was*," and turned his back on me. My hour of favour was over; I found myself lumped along with Kurtz as a partisan of methods for which the time was not ripe: I was unsound! Ah! but it was something to have at least a choice of nightmares.

'I had turned to the wilderness really, not to Mr Kurtz, who, I was ready to admit, was as good as buried. And for a moment it seemed to me as if I also were buried in a vast grave full of unspeakable secrets. I felt an intolerable weight oppressing my breast, the smell of the damp earth, the unseen presence of victorious corruption, the darkness of an impenetrable night… The Russian tapped me on the shoulder. I heard him mumbling and stammering something about "brother seaman – couldn't conceal – knowledge of matters that would affect Mr Kurtz's reputation." I waited. For him evidently Mr Kurtz was not in his grave; I suspect that for him Mr Kurtz was one of the immortals. "Well!" said I at last, "speak out. As it happens, I am Mr Kurtz's friend – in a way."

'He stated with a good deal of formality that had we not been "of the same profession", he would have kept the matter to himself without regard to consequences. "He suspected there was an active ill will towards him on the part of these white men

dis-je avec force. Il sursauta, laissa tomber sur moi un regard froid et lourd, dit très tranquillement : "Il l'était", et me tourna le dos. Mon heure de faveur était passée ; je me trouvai mis dans le même sac que Kurtz, comme partisar de méthodes pour lesquelles les temps n'étaient pas mûrs : j'étais douteux ! Ah ! mais c'était quelque chose que d'avoir au moins le choix entre plusieurs cauchemars.

« C'est vers le monde sauvage, en réalité, que je m'étais tourné, et non vers M. Kurtz qui, j'étais prêt à le reconnaître, était autant dire mort et enterré. Et pendant un certain temps, il me sembla que moi aussi j'étais enterré dans une immense tombe pleine de secrets indicibles. Je sentais un poids intolérable m'oppresser la poitrine, l'odeur de la terre humide, la présence invisible de la corruption triomphante, les ténèbres d'une nuit impénétrable... Le Russe me tapa sur l'épaule. Je l'entendis marmonner et bafouiller quelque chose à propos de "confrère marin – ne pouvait dissimuler – connaissance de certains points qui pourraient affecter la réputation de M. Kurtz." J'attendis. Pour lui, manifestement, M. Kurtz n'était pas dans la tombe ; je soupçonne que pour lui, M. Kurtz était au nombre des immortels. "Eh bien ! finis-je par dire, parlez. Il se trouve que je suis l'ami de M. Kurtz – d'une certaine façon."

« Il déclara avec beaucoup de solennité que, si nous n'avions appartenu "à la même profession", il aurait gardé la chose pour lui sans se soucier des conséquences. Il avait l'impression que "chez ces Blancs, il y avait à son égard une malveillance active

that –" "You are right," I said, remembering a certain conversation I had overheard. "The manager thinks you ought to be hanged." He showed a concern at this intelligence which amused me at first. "I had better get out of the way quietly," he said, earnestly. "I can do no more for Kurtz now, and they would soon find some excuse. What's to stop them? There's a military post three hundred miles from here." "Well, upon my word," said I, "perhaps you had better go if you have any friends amongst the savages near by." "Plenty," he said. "They are simple people – and I want nothing, you know." He stood biting his lip, then: "I don't want any harm to happen to these whites here, but of course I was thinking of Mr Kurtz's reputation – but you are a brother seaman and –" "All right," said I, after a time. "Mr Kurtz's reputation is safe with me." I did not know how truly I spoke.

'He informed me, lowering his voice, that it was Kurtz who had ordered the attack to be made on the steamer. "He hated sometimes the idea of being taken away – and then again... But I don't understand these matters. I am a simple man. He thought it would scare you away – that you would give it up, thinking him dead. I could not stop him. Oh, I had an awful time of it this last month." "Very well," I said. "He is all right now." "Ye-e-es," he muttered, not very convinced apparently. "Thanks," said I; "I shall keep my eyes open." "But quiet – eh?" he urged, anxiously.

qui… – Vous avez raison, dis-je, me souvenant de certaine conversation que j'avais surprise. Le directeur est d'avis qu'il faudrait vous pendre". À cette nouvelle, il montra une inquiétude qui d'abord m'amusa. "Je ferais mieux de m'éclipser discrètement, dit-il avec gravité. Je ne peux plus rien pour Kurtz maintenant, et ils auraient vite fait de trouver un prétexte. Qu'est-ce qui pourrait les arrêter ? Le poste militaire le plus proche est à trois cents milles. – Eh bien, ma foi, dis-je, vous feriez peut-être mieux de partir si vous avez des amis chez les sauvages du coin. – Des tas, dit-il. Ce sont des gens simples – et je ne demande rien, vous savez." Il se mordit les lèvres un instant, puis : "Je ne veux aucun mal à ces Blancs qui sont ici, mais je pensais bien sûr à la réputation de M. Kurtz – mais vous êtes marin, un confrère et… – Ça va, dis-je, après un silence. La réputation de M. Kurtz n'a rien à craindre de moi." Je ne savais pas à quel point je disais vrai.

« Il m'apprit, en baissant la voix, que c'était Kurtz qui avait donné l'ordre d'attaquer le vapeur. "À certains moments, l'idée d'être évacué lui faisait horreur – et puis à d'autres… Mais je ne comprends pas ces questions-là. Je suis quelqu'un de simple. Il pensait que ça vous effraierait et vous ferait rebrousser chemin – que vous renonceriez, le croyant mort. Je n'ai pas pu l'en empêcher. Oh, j'en avais vu de toutes les couleurs depuis un mois. – Bon, dis-je. Il est tiré d'affaire à présent. – Ou…, ou… oui, marmonna-t-il, apparemment pas très convaincu. – Merci, dis-je, j'aurai l'œil. – Mais motus – hein ? fit-il avec une insistance inquiète.

"It would be awful for his reputation if anybody here –" I promised a complete discretion with great gravity. "I have a canoe and three black fellows waiting not very far. I am off. Could you give me a few Martini-Henry cartridges?" I could, and did, with proper secrecy. He helped himself, with a wink at me, to a handful of my tobacco. "Between sailors – you know – good English tobacco." At the door of the pilot-house he turned round – "I say, haven't you a pair of shoes you could spare?" He raised one leg. "Look." The soles were tied with knotted strings sandal-wise under his bare feet. I rooted out an old pair, at which he looked with admiration before tucking it under his left arm. One of his pockets (bright red) was bulging with cartridges, from the other (dark blue) peeped "Towson's Inquiry", etc., etc. He seemed to think himself excellently well equipped for a renewed encounter with the wilderness. "Ah! I'll never, never meet such a man again. You ought to have heard him recite poetry – his own, too, it was, he told me. Poetry!" He rolled his eyes at the recollection of these delights. "Oh, he enlarged my mind!" "Good-bye," said I. He shook hands and vanished in the night. Sometimes I ask myself whether I had ever really seen him – whether it was possible to meet such a phenomenon!...

'When I woke up shortly after midnight his warning came to my mind with its hint of danger that seemed, in the starred darkness, real enough to make me get up for the purpose of

Ce serait affreux pour sa réputation si qui que ce soit ici…" Je promis le secret absolu avec une gravité imperturbable. "J'ai une pirogue qui m'attend pas très loin avec trois Noirs. Je me sauve. Vous pourriez me donner quelques cartouches de Martini-Henry?" Je le pouvais, et le fis, avec la discrétion qui convenait. Il puisa, avec un clin d'œil à mon adresse, une poignée de mon tabac. "Entre marins – voyez-vous – du bon tabac anglais." À la porte de la chambre de navigation, il se retourna – "Au fait, vous n'auriez pas une paire de chaussures en trop?" Il leva une jambe. "Regardez." Les semelles étaient attachées avec des ficelles nouées, en manière de sandales sous ses pieds nus. J'exhumai une paire fatiguée qu'il regarda avec admiration avant de se la caler sous le bras gauche. L'une de ses poches (rouge vif) était bourrée de cartouches, de l'autre (bleu foncé) dépassait l'*Enquête*, etc., de Towson. Il semblait se croire parfaitement équipé pour un nouveau tête-à-tête avec le monde sauvage. "Ah! jamais, jamais plus je ne rencontrerai un homme pareil! Vous auriez dû l'entendre réciter des vers – et c'était les siens avec ça, m'a-t-il dit. Des vers!" Il roulait des yeux à l'évocation de ces ravissements. "Oh, il m'a ouvert l'esprit! – Adieu", dis-je. Il me serra la main et disparut dans la nuit. Parfois, je me demande si je l'ai vraiment vu de mes yeux – s'il était possible de trouver semblable phénomène sur son chemin!…

« Quand je m'éveillai peu après minuit, son avertissement me revint à l'esprit, avec l'allusion à un danger qui, dans les ténèbres semées d'étoiles, paraissait assez réel pour me faire lever afin de

having a look round. On the hill a big fire burned, illuminating fitfully a crooked corner of the station-house. One of the agents with a picket of a few of our blacks, armed for the purpose, was keeping guard over the ivory; but deep within the forest, red gleams that wavered, that seemed to sink and rise from the ground amongst confused columnar shapes of intense blackness, showed the exact position of the camp where Mr Kurtz's adorers were keeping their uneasy vigil. The monotonous beating of a big drum filled the air with muffled shocks and a lingering vibration. A steady droning sound of many men chanting each to himself some weird incantation came out from the black, flat wall of the woods as the humming of bees comes out of a hive, and had a strange narcotic effect upon my half-awake senses. I believe I dozed off leaning over the rail, till an abrupt burst of yells, an overwhelming outbreak of a pent-up and mysterious frenzy, woke me up in a bewildered wonder. It was cut short all at once, and the low droning went on with an effect of audible and soothing silence. I glanced casually into the little cabin. A light was burning within, but Mr Kurtz was not there.

'I think I would have raised an outcry if I had believed my eyes. But I didn't believe them at first – the thing seemed so impossible. The fact is I was completely unnerved by a sheer blank fright, pure

jeter un coup d'œil alentour. Sur la colline brûlait un grand feu, qui illuminait par intermittence un angle biscornu du bâtiment du poste. L'un des agents, à la tête d'un détachement de quelques-uns de nos Noirs, armés pour la circonstance, montait la garde auprès de l'ivoire ; mais, dans les profondeurs de la forêt, les lueurs rouges qui dansaient, semblaient s'abattre ou monter du sol parmi des formes confuses de piliers d'un noir intense, indiquaient l'emplacement exact du camp où les adorateurs de M. Kurtz observaient leur veille inquiète. Le battement monotone d'un gros tam-tam emplissait l'air de coups assourdis et d'une vibration qui n'en finissait pas. Un bourdon soutenu produit par un grand nombre d'hommes psalmodiant, chacun pour soi, une étrange incantation, émanait de la muraille plate et noire de la forêt comme le bourdonnement des abeilles vient d'une ruche, et avait un curieux effet narcotique sur mes sens à demi éveillés. Je crois bien que je m'assoupis, accoudé à la lisse, jusqu'à ce qu'un soudain éclat de hurlements, formidable explosion de mystérieuse frénésie accumulée, m'éveillât à une surprise ahurie. Il s'interrompit tout de suite, et le faible bourdon se poursuivit, faisant l'effet d'un silence audible et apaisant. Je jetai négligemment un coup d'œil dans la petite cabine. Une lumière y brûlait, mais M. Kurtz n'y était pas.

« Je crois que j'aurais provoqué un charivari si j'en avais cru mes yeux. Mais je ne les crus pas d'abord – tant la chose paraissait impossible. Le fait est que j'étais privé de tout ressort par une

279

abstract terror, unconnected with any distinct shape of physical danger. What made this emotion so overpowering was – how shall I define it? – the moral shock I received, as if something altogether monstrous, intolerable to thought and odious to the soul, had been thrust upon me unexpectedly. This lasted of course the merest fraction of a second, and then the usual sense of commonplace, deadly danger, the possibility of a sudden on-slaught and massacre, or something of the kind, which I saw impending, was positively welcome and composing. It pacified me, in fact, so much, that I did not raise an alarm.

'There was an agent buttoned up inside an ulster and sleeping on a chair on deck within three feet of me. The yells had not awakened him; he snored very slightly; I left him to his slumbers and leaped ashore. I did not betray Mr Kurtz – it was ordered I should never betray him – it was written I should be loyal to the nightmare of my choice. I was anxious to deal with this shadow by myself alone, – and to this day I don't know why I was so jealous of sharing with anyone the peculiar black-ness of that experience.

'As soon as I got on the bank I saw a trail – a broad trail through the grass. I remember the exultation with which I said to myself, "He can't walk – he is crawling on all-fours – I've got him." The grass was wet with dew. I strode rapidly

simple peur sans contenu, une terreur pure et abstraite, sans rapport avec quelque forme distincte que ce soit de danger physique. Ce qui rendait cette émotion si paralysante, c'était – comment vais-je définir ça? – l'ébranlement moral que je reçus, comme si quelque chose d'absolument monstrueux, intolérable à la pensée et odieux à l'âme, m'avait été imposé à l'improviste. Naturellement, cela ne dura qu'une fraction de seconde, et ensuite le sentiment familier d'un danger banal, mortel, la possibilité d'un assaut et d'un massacre soudains, ou de quelque chose du même genre, que je voyais imminent, ce sentiment fut absolument rassérénant et bienvenu. Il me calma à ce point, en fait, que je ne donnai pas l'alarme.

«Il y avait un agent de la Compagnie, boutonné dans un ulster, qui dormait sur un fauteuil, à moins d'un mètre de moi, sur le pont... Les hurlements ne l'avaient pas éveillé; il ronflait très légèrement; je le laissai à son somme et bondis sur la rive. Je ne trahis pas M. Kurtz – il était décrété que je ne le trahirais jamais – il était écrit que je serais fidèle au cauchemar de mon choix. Je tenais beaucoup à m'occuper de cette ombre tout seul et par mes propres moyens – et j'ignore aujourd'hui encore pourquoi j'étais si jaloux de ne partager avec personne la noirceur particulière de cet épisode.

«Sitôt sur la berge, je vis une trace – une large trace à travers les herbes. Je me souviens de la jubilation avec laquelle je me dis : "Il ne peut pas marcher – il se traîne à quatre pattes – je le tiens." L'herbe était trempée de rosée. J'avançai à grands pas,

with clenched fists. I fancy I had some vague notion of falling upon him and giving him a drubbing. I don't know. I had some imbecile thoughts. The knitting old woman with the cat obtruded herself upon my memory as a most improper person to be sitting at the other end of such an affair. I saw a row of pilgrims squirting lead in the air out of Winchesters held to the hip. I thought I would never get back to the steamer, and imagined myself living alone and unarmed in the woods to an advanced age. Such silly things – you know. And I remember I confounded the beat of the drum with the beating of my heart, and was pleased at its calm regularity.

'I kept to the track though – then stopped to listen. The night was very clear; a dark blue space, sparkling with dew and starlight, in which black things stood very still. I thought I could see a kind of motion ahead of me. I was strangely cocksure of everything that night. I actually left the track and ran in a wide semicircle (I verily believe chuckling to myself) so as to get in front of that stir, of that motion I had seen – if indeed I had seen anything. I was circumventing Kurtz as though it had been a boyish game.

'I came upon him, and, if he had not heard me coming, I would have fallen over him, too, but he got up in time. He rose, unsteady, long, pale, indistinct, like a vapour exhaled by the earth, and swayed slightly, misty and silent before me; while at my back the fires loomed between the trees, and the murmur

les poings serrés. Je crois que j'avais quelque vague idée de lui tomber dessus à bras raccourcis. Je ne sais pas. J'eus quelques pensées idiotes. La vieille tricoteuse au chat s'imposait à ma mémoire, fort déplacée dans le rôle de la personne trônant à l'autre bout d'une telle affaire. Je voyais une rangée de pèlerins envoyer une giclée de plomb dans le vide, le Winchester à la hanche. Je croyais que je ne regagnerais jamais le vapeur, et m'imaginais vivant seul et sans arme dans la forêt jusqu'à un âge avancé. Des bêtises de ce genre – vous voyez. Et je me rappelle avoir confondu le battement du tam-tam avec les pulsations de mon cœur, et m'être réjoui de sa paisible régularité.

« Je suivis cependant la piste – puis m'arrêtai pour prêter l'oreille. La nuit était très claire ; espace bleu foncé, étincelant de rosée et d'étoiles, dans lequel des choses noires se dressaient, tout à fait immobiles. Je crus voir une espèce de mouvement devant moi. Cette nuit-là, j'avais de bizarres certitudes dans tous les domaines. Je quittai bel et bien la piste et décrivis en courant un large demi-cercle (je crois vraiment que je riais sous cape) de manière à me trouver devant ce frémissement, ce mouvement que j'avais vu – si j'avais bien vu quelque chose. Je tournais Kurtz, comme font les gamins qui jouent à la guerre.

« J'arrivai sur lui, et, s'il ne m'avait entendu venir, je lui serais littéralement tombé dessus, mais il se leva à temps. Il se dressa, chancelant, long, pâle, indistinct, comme une vapeur exhalée par la terre, et oscilla légèrement, flou et silencieux, devant moi ; tandis que, dans mon dos, les feux jetaient leur lueur confuse entre les arbres, et que le murmure

of many voices issued from the forest. I had cut him off cleverly; but when actually confronting him I seemed to come to my senses, I saw the danger in its right proportion. It was by no means over yet. Suppose he began to shout? Though he could hardly stand, there was still plenty of vigour in his voice. "Go away – hide yourself," he said, in that profound tone. It was very awful. I glanced back. We were within thirty yards from the nearest fire. A black figure stood up, strode on long black legs, waving long black arms, across the glow. It had horns – antelope horns, I think – on its head. Some sorcerer, some witch-man, no doubt: it looked fiend-like enough. "Do you know what you are doing?" I whispered. "Perfectly," he answered, raising his voice for that single word: it sounded to me far off and yet loud, like a hail through a speaking-trumpet. If he makes a row we are lost, I thought to myself. This clearly was not a case for fisti-cuffs, even apart from the very natural aversion I had to beat that Shadow – this wandering and tormented thing. "You will be lost," I said – "utterly lost." One gets sometimes such a flash of inspiration, you know. I did say the right thing, though indeed he could not have been more irre-trievably lost than he was at this very moment, when the foundations of our intimacy were being laid – to endure – to endure – even to the end – even beyond.

de multiples voix émanait de la forêt. Je lui avais habilement coupé la route ; mais, quand je me trouvai effectivement face à face avec lui, il me sembla que je reprenais mes esprits, et je vis le danger à sa juste mesure. Il n'était pas encore écarté, loin de là. À supposer qu'il se mette à crier ? Il avait beau tenir à peine debout, il lui restait une belle vigueur dans la voix. "Allez-vous-en – cachez-vous", dit-il, de son timbre caverneux. C'était très impressionnant. Je jetai un coup d'œil derrière moi. Nous étions à moins de trente mètres du feu le plus proche. Une silhouette noire se leva, s'avança à grands pas sur de longues jambes noires, en agitant de longs bras noirs, devant la lueur. Elle avait des cornes – des cornes d'antilope, je crois – sur la tête. Un sorcier, un griot assurément : il avait l'air assez démoniaque. "Savez-vous ce que vous êtes en train de faire ? soufflai-je – Parfaitement", répondit-il en élevant la voix pour ce seul mot, qui me parut à la fois lointain et fort, comme si l'on m'avait hélé avec un porte-voix. S'il fait du tapage, nous sommes perdus, pensai-je à part moi. Il était clair que ce n'était pas l'occasion de faire le coup de poing, sans même parler de l'aversion naturelle que j'éprouvais à l'idée de frapper cette ombre – cet être errant et tourmenté. "Vous serez perdu, dis-je, totalement perdu." On a quelquefois un éclair d'inspiration de ce genre, vous savez. Je dis exactement ce qu'il fallait dire, bien qu'en vérité il n'eût pu être plus irrémédiablement perdu qu'il n'était en ce moment précis où étaient posées les fondations de l'intimité qui devait durer entre nous – qui devait durer – jusqu'à la fin – et même au-delà.

285

"'I had immense plans," he muttered irresolutely. "Yes," said I; "but if you try to shout I'll smash your head with –" There was not a stick or a stone near. "I will throttle you for good," I corrected myself. "I was on the threshold of great things," he pleaded, in a voice of longing, with a wistfulness of tone that made my blood run cold. "And now for this stupid scoundrel –" "Your success in Europe is assured in any case," I affirmed, steadily. I did not want to have the throttling of him, you understand – and indeed it would have been very little use for any practical purpose. I tried to break the spell – the heavy, mute spell of the wilderness – that seemed to draw him to its pitiless breast by the awakening of forgotten and brutal instincts, by the memory of gratified and monstrous passions. This alone, I was convinced, had driven him out to the edge of the forest, to the bush, towards the gleam of fires, the throb of drums, the drone of weird incantations; this alone had beguiled his unlawful soul beyond the bounds of permitted aspirations. And, don't you see, the terror of the position was not in being knocked on the head – though I had a very lively sense of that danger, too – but in this, that I had to deal with a being to whom I could not appeal in the name of anything high or low. I had, even like the niggers, to invoke him – himself – his own exalted and incredible degradation. There was nothing either above or below him, and I knew it.

« "J'avais d'immenses projets, murmura-t-il, irré-
solu. – Oui, dis-je : mais si vous essayez de crier, je
vous assomme avec…" Il n'y avait ni morceau de
bois ni pierre à proximité. "Je vous étrangle pour
de bon, rectifiai-je. – J'étais au seuil de grandes
choses, plaida-t-il, d'une voix vibrante de désir,
avec un accent de désenchantement qui me glaça
le sang. Et maintenant, à cause de cette stupide
crapule… – Votre succès en Europe est acquis de
toute façon", affirmai-je posément. Vous comprenez bien que je ne tenais pas à l'étrangler – ce
qui, effectivement, ne nous aurait pas avancés à
grand-chose, de quelque point de vue que l'on
se place. J'essayai de rompre l'enchantement,
l'enchantement pesant et muet du monde sauvage – qui semblait l'attirer vers son sein sans
merci en éveillant des instincts brutaux endormis,
en ravivant le souvenir de passions monstrueuses
et assouvies. C'est cela seul, j'en étais convaincu,
qui l'avait attiré vers l'orée de la forêt, vers la
brousse, vers la lueur des feux, le battement des
tam-tams, le bourdon des incantations étranges,
cela seul qui avait tenté son âme de hors-la-loi, en
lui faisant franchir les limites des aspirations légi-
times. Et, voyez-vous, le terrifiant dans ma position, ce n'était pas le risque de me faire estourbir
– encore que j'aie eu un sentiment également vif
de ce danger-là –, mais le fait que j'avais affaire à
un être auprès de qui je ne pouvais me prévaloir
de rien de noble ni de bas. Il me fallait, tout
comme les Nègres, l'invoquer, lui – lui-même –, sa
propre déchéance exaltée, incroyable. Il n'y avait
rien au-dessus ni au-dessous de lui, et je le savais.

He had kicked himself loose of the earth. Confound the man! he had kicked the very earth to pieces. He was alone, and I before him did not know whether I stood on the ground or floated in the air. I've been telling you what we said – repeating the phrases we pronounced – but what's the good? They were common everyday words – the familiar, vague sounds exchanged on every waking day of life. But what of that? They had behind them, to my mind, the terrific suggestiveness of words heard in dreams, of phrases spoken in nightmares. Soul! If anybody had ever struggled with a soul, I am the man. And I wasn't arguing with a lunatic either. Believe me or not, his intelligence was perfectly clear – concentrated, it is true, upon himself with horrible intensity, yet clear; and therein was my only chance – barring, of course, the killing him there and then, which wasn't so good, on account of unavoidable noise. But his soul was mad. Being alone in the wilderness, it had looked within itself, and, by heavens! I tell you, it had gone mad. I had – for my sins, I suppose – to go through the ordeal of looking into it myself. No eloquence could have been so withering to one's belief in mankind as his final burst of sincerity. He struggled with himself, too. I saw it, – I heard it. I saw the inconceivable mystery of a soul that knew no restraint, no faith, and no fear, yet struggling blindly with itself.

D'un coup de talon, il s'était libéré de la terre. Le diable l'emporte! son coup de pied avait mis la terre en pièces. Il était seul, et moi qui étais devant lui, je ne savais pas si mes pieds reposaient sur le sol ou si je flottais dans le vide. Je viens de vous rapporter ce que nous avons dit – de vous répéter les phrases échangées –, mais à quoi bon? C'étaient les mots de la banalité quotidienne – les vagues sons familiers que l'on échange chaque jour entre lever et coucher. Et après? Dans mon esprit, ils avaient derrière eux ce terrifiant pouvoir de suggestion des mots entendus en rêve, des phrases prononcées dans les cauchemars. Une âme! Si quelqu'un s'est jamais battu avec une âme, je suis cet homme-là. Et je ne discutais pas avec un fou non plus. Croyez-moi si vous voulez, son intelligence était parfaitement lucide – concentrée sur lui-même, c'est vrai, avec une affreuse intensité, mais lucide; et c'est en cela que résidait ma seule chance – à moins naturellement de le trucider sur-le-champ, ce qui n'était pas tellement fameux, compte tenu du bruit inévitable. Mais son âme était folle. Se trouvant seule dans le monde sauvage, elle avait tourné son regard en elle-même, et, grands dieux! je vous assure qu'elle en était devenue folle. Il me fallut – pour mes péchés, je suppose – subir l'épreuve d'y plonger mon propre regard. Nulle éloquence n'aurait pu flétrir votre foi en l'espèce humaine comme le fit son dernier élan de sincérité. Et il luttait avec lui-même, de surcroît. Je l'ai vu. Je l'ai entendu. J'ai vu le mystère inimaginable d'une âme qui ne connaissait ni retenue, ni foi, ni crainte, tout en luttant aveuglément avec elle-même.

I kept my head pretty well; but when I had him at last stretched on the couch, I wiped my forehead, while my legs shook under me as though I had carried half a ton on my back down that hill. And yet I had only supported him, his bony arm clasped round my neck – and he was not much heavier than a child.

'When next day we left at noon, the crowd, of whose presence behind the curtain of trees I had been acutely conscious all the time, flowed out of the woods again, filled the clearing, covered the slope with a mass of naked, breathing, quivering, bronze bodies. I steamed up a bit, then swung downstream, and two thousand eyes followed the evolutions of the splashing, thumping, fierce river-demon beating the water with its terrible tail and breathing black smoke into the air. In front of the first rank, along the river, three men, plastered with bright red earth from head to foot, strutted to and fro restlessly. When we came abreast again, they faced the river, stamped their feet, nodded their horned heads, swayed their scarlet bodies; they shook towards the fierce river-demon a bunch of black feathers, a mangy skin with a pendent tail – something that looked like a dried gourd; they shouted periodically together strings of amazing words that resembled no sounds of human language; and the deep murmurs of the crowd, interrupted suddenly, were like the responses of some satanic litany.

Je réussis assez convenablement à ne pas perdre la tête ; mais, quand je l'eus enfin étendu sur sa couchette, je m'essuyai le front, cependant que j'avais les jambes aussi flageolantes que si j'avais descendu cette fichue colline avec une demi-tonne sur le dos. Et pourtant je m'étais contenté de le soutenir, le cou enserré par son bras décharné – et il ne pesait guère plus qu'un enfant.

« Lorsque nous partîmes, le lendemain à midi, la foule, dont la présence derrière le rideau des arbres m'était restée tout le temps fortement présente à l'esprit, déferla une nouvelle fois de la futaie, emplit la clairière, couvrit la pente d'une masse de corps de bronze nus, frémissants et pantelants. Je remontai un peu le courant, puis virai à l'aval, et deux mille yeux suivaient les évolutions du farouche démon du fleuve, pataugeant et ahanant, qui frappait l'eau de sa queue redoutable et exhalait de la fumée noire. Devant le premier rang, trois hommes, enduits de terre rouge vif des pieds à la tête, arpentaient sans cesse la berge du fleuve d'un air important. Quand nous repassâmes à leur hauteur ils nous firent face, frappèrent du pied, secouèrent leur tête cornue, balancèrent leur corps écarlate ; ils brandirent en direction du farouche démon du fleuve un bouquet de plumes noires, une peau mitée à la queue pendante et quelque chose qui avait l'air d'une courge séchée ; ils criaient ensemble, par intervalles, des chapelets de mots stupéfiants qui ne ressemblaient à aucun son du langage humain ; et les murmures graves de la foule, soudain interrompus, sonnaient comme les répons de quelque litanie satanique.

'We had carried Kurtz into the pilot-house: there was more air there. Lying on the couch, he stared through the open shutter. There was an eddy in the mass of human bodies, and the woman with helmeted head and tawny cheeks rushed out to the very brink of the stream. She put out her hands, shouted something, and all that wild mob took up the shout in a roaring chorus of articulated, rapid, breathless utterance.

'"Do you understand this?" I asked.

'He kept on looking out past me with fiery, longing eyes, with a mingled expression of wistfulness and hate. He made no answer, but I saw a smile, a smile of indefinable meaning, appear on his colourless lips that a moment after twitched convulsively. "Do I not?" he said slowly, gasping, as if the words had been torn out of him by a supernatural power.

'I pulled the string of the whistle, and I did this because I saw the pilgrims on deck getting out their rifles with an air of anticipating a jolly lark. At the sudden screech there was a movement of abject terror through that wedged mass of bodies. "Don't! don't you frighten them away," cried someone on deck disconsolately. I pulled the string time after time. They broke and ran, they leaped, they crouched, they swerved, they dodged the flying terror of the sound. The three red chaps had fallen flat, face down on the shore, as though they had been shot dead. Only the barbarous and superb

«Nous avions transporté Kurtz dans la chambre de navigation : il y avait là un peu plus d'air. Allongé sur la couchette, il regardait fixement par l'ouverture du volet. Il y eut un remous dans la multitude des corps, et la femme à la tête casquée et aux joues fauves s'élança jusqu'à l'extrême bord de l'eau. Elle tendit les mains, cria quelque chose, et toute cette foule sauvage reprit ce cri en rugissant à l'unisson des syllabes rapides, haletantes.

« "Vous comprenez ça?" demandai-je.

«Il continua de regarder au loin, au-delà de ma personne, les yeux brûlant de désir, avec une expression de regret et de haine mêlés. Il ne répondit pas, mais je vis un sourire, un sourire au sens indéfinissable, apparaître sur ses lèvres blêmes qui, l'instant d'après, se crispèrent convulsivement. "Si je comprends!" dit-il lentement, en cherchant son souffle, comme si les mots lui avaient été arrachés par une puissance surnaturelle.

«Je tirai le cordon du sifflet; la raison en était que je voyais les pèlerins, sur le pont, sortir leurs carabines avec l'air de savourer à l'avance une bonne partie de plaisir. Le soudain glapissement strident provoqua un mouvement de terreur abjecte dans ce grand triangle de chair vivante. "Non! Ne les faites pas fuir", s'écria quelqu'un sur le pont, d'une voix lamentable. Je tirai sur le cordon de façon répétée. Ils se débandèrent et se mirent à courir, à bondir, à s'accroupir, à faire des écarts pour fuir la terreur répandue par ce son. Les trois gaillards rouges s'étaient affalés à plat ventre sur la berge, comme s'ils avaient été tués net. Seule, la femme barbare et superbe

woman did not so much as flinch and stretched tragically her bare arms after us over the sombre and glittering river.

'And then that imbecile crowd down on the deck started their little fun, and I could see nothing more for smoke.

'The brown current ran swiftly out of the heart of darkness, bearing us down towards the sea with twice the speed of our upward progress; and Kurtz's life was running swiftly, too, ebbing, ebbing out of his heart into the sea of inexorable time. The manager was very placid, he had no vital anxieties now, he took us both in with a comprehensive and satisfied glance: the "affair" had come off as well as could be wished. I saw the time approaching when I would be left alone of the party of "unsound method." The pilgrims looked upon me with disfavour. I was, so to speak, numbered with the dead. It is strange how I accepted this unforeseen partnership, this choice of nightmares forced upon me in the tenebrous land invaded by these mean and greedy phantoms.

'Kurtz discoursed. A voice! a voice! It rang deep to the very last. It survived his strength to hide in the magnificent folds of eloquence the barren darkness of his heart. Oh, he struggled! he struggled! The wastes of his weary brain were haunted by shadowy images now – images of wealth and fame revolving obsequiously round his unextinguishable gift of noble and lofty expression. My Intended,

ne cilla même pas, et tendit tragiquement les bras derrière nous, au-dessus du fleuve étincelant et sombre.

« Alors la bande de crétins du pont inférieur commença de s'amuser un peu, et je ne vis plus rien à cause de la fumée.

« Le flot brun s'écoulait rapidement du cœur des ténèbres, nous emportant vers la mer deux fois plus vite que nous n'avions progressé vers l'amont; et la vie de Kurtz s'épanchait rapidement aussi, refluant, refluant de son cœur pour se perdre dans la mer du temps inexorable. Le directeur était tout à fait serein, il n'avait plus de sérieuses inquiétudes désormais, il nous enveloppait tous deux d'un même regard satisfait : l'"affaire" s'était aussi bien terminée qu'on pouvait le souhaiter. Je voyais approcher le moment où je resterais seul du parti de la "méthode douteuse". Les pèlerins me considéraient avec défaveur. J'étais, pour ainsi dire, compté parmi les morts. Curieux comme j'acceptai cette association imprévue, ce choix entre des cauchemars qui m'était imposé dans le pays obscur envahi par ces fantômes mesquins et avides.

« Kurtz discourait. Une voix ! Une voix ! Elle garda sa résonance profonde jusqu'au tout dernier moment. Elle survécut à sa force, pour dissimuler dans les plis magnifiques de l'éloquence les ténèbres stériles de son cœur. Oh ! il lutta ! Il lutta ! Ce qui lui restait de cerveau, épuisé, était maintenant hanté par des figures indistinctes – des figures de richesse et de gloire décrivant une ronde obséquieuse autour de son talent inextinguible pour la parole noble et altière. Ma Fiancée,

my station, my career, my ideas – these were the subjects for the occasional utterances of elevated sentiments. The shade of the original Kurtz frequented the bedside of the hollow sham, whose fate it was to be buried presently in the mould of primeval earth. But both the diabolic love and the unearthly hate of the mysteries it had penetrated fought for the possession of that soul satiated with primitive emotions, avid of lying fame, of sham distinction, of all the appearances of success and power.

'Sometimes he was contemptibly childish. He desired to have kings meet him at railway-stations on his return from some ghastly Nowhere, where he intended to accomplish great things. "You show them you have in you something that is really profitable, and then there will be no limits to the recognition of your ability," he would say. "Of course you must take care of the motives – right motives – always." The long reaches that were like one and the same reach, monotonous bends that were exactly alike, slipped past the steamer with their multitude of secular trees looking patiently after this grimy fragment of another world, the forerunner of change, of conquest, of trade, of massacres, of blessings. I looked ahead – piloting. "Close the shutter," said Kurtz suddenly one day; "I can't bear to look at this." I did so. There was a silence. "Oh, but I will wring your heart yet!" he cried at the invisible wilderness.

mon poste, ma carrière, mes idées – tels étaient les sujets de ces expressions intermittentes de sentiments élevés. L'ombre du Kurtz originel fréquentait le chevet du vain imposteur dont c'était le destin d'être bientôt enseveli dans l'humus de la terre primordiale. Mais tant l'amour diabolique que la haine surnaturelle des mystères qu'elle avait pénétrés se disputaient la possession de cette âme rassasiée d'émotions primitives, avide de fausse gloire, de fallacieuse éminence, de toutes les apparences du succès et du pouvoir.

« Parfois, il était d'une méprisable puérilité. Il désirait que des rois viennent l'attendre à chaque gare quand il reviendrait de quelque sinistre. Nulle part où il avait l'intention d'accomplir de grandes choses. "Vous leur montrez que vous avez en vous quelque chose de vraiment fructueux, et il n'y aura plus de limites à la reconnaissance de vos capacités, disait-il. Naturellement, vous devez prendre garde aux mobiles – de justes mobiles – toujours." Les longues lignes droites qui donnaient l'impression d'être une seule et même ligne droite, des courbes monotones dans leur exacte similitude, défilaient le long du vapeur avec la multitude d'arbres séculaires qui observaient patiemment ce fragment crasseux d'un autre monde, héraut du changement, de la conquête, du commerce, de massacres, de bienfaits. Je regardais devant moi – je pilotais. "Fermez le volet, dit soudain Kurtz un jour. Je ne peux supporter de regarder ça." Je m'exécutai. Il y eut un silence. "Oh, mais j'arriverai bien un jour à te déchirer le cœur !" lança-t-il au monde sauvage devenu invisible.

'We broke down – as I had expected – and had to lie up for repairs at the head of an island. This delay was the first thing that shook Kurtz's confidence. One morning he gave me a packet of papers and a photograph – the lot tied together with a shoe-string. "Keep this for me," he said. "This noxious fool" (meaning the manager) "is capable of prying into my boxes when I am not looking." In the afternoon I saw him. He was lying on his back with closed eyes, and I withdrew quietly, but I heard him mutter, "Live rightly, die, die…" I listened. There was nothing more. Was he rehearsing some speech in his sleep, or was it a fragment of a phrase from some newspaper article? He had been writing for the papers and meant to do so again, "for the furthering of my ideas. It's a duty."

'His was an impenetrable darkness. I looked at him as you peer down at a man who is lying at the bottom of a precipice where the sun never shines. But I had not much time to give him, because I was helping the engine-driver to take to pieces the leaky cylinders, to straighten a bent connecting-rod, and in other such matters. I lived in an infernal mess of rust, filings, nuts, bolts, spanners, hammers, ratchet-drills – things I abominate, because I don't get on with them. I tended the little forge we fortunately had aboard; I toiled wearily in a wretched scrap-heap – unless I had the shakes too bad to stand.

«Nous tombâmes en panne – comme je m'y attendais – et dûmes désarmer pour réparer à la pointe d'une île. Ce retard fut la première chose qui ébranla la confiance de Kurtz. Un matin, il me donna une liasse de papiers et une photographie – le tout ficelé avec un lacet de soulier. "Gardez-moi ça, dit-il. Cet imbécile malfaisant (il voulait dire le directeur) est capable de venir fouiner dans mes affaires pendant que je ne fais pas attention." Je le revis l'après-midi. Il reposait sur le dos, les yeux fermés, et je me retirai sans bruit, mais je l'entendis murmurer : "Mener une vie juste, avoir une mort, une mort…" Je tendis l'oreille. Rien d'autre ne vint. Répétait-il dans son sommeil quelque discours, ou était-ce un lambeau de phrase venu d'un article ? Il avait écrit pour les journaux et entendait le faire de nouveau, "pour l'avancement de mes idées. C'est un devoir".

«Ses ténèbres personnelles étaient impénétrables. Je le regardai comme on essaie de distinguer un homme qui gît au fond d'un précipice où le soleil ne donne jamais. Mais je n'avais guère de temps à lui consacrer, car j'aidais le mécanicien à démonter les cylindres mal joints, à redresser une bielle tordue, et autres tâches semblables. Je vivais dans un fouillis infernal de rouille, de limaille, d'écrous, de boulons, de clefs, de marteaux, de drilles à rochet – toutes choses que j'abomine, parce que je ne m'entends pas bien avec elles. Je m'occupais de la petite forge que, Dieu merci, nous avions à bord ; je trimais péniblement dans un lamentable amas de ferraille – sauf quand j'avais trop la tremblote pour tenir debout.

'One evening coming in with a candle I was startled to hear him say a little tremulously, "I am lying here in the dark waiting for death." The light was within a foot of his eyes. I forced myself to murmur, "Oh, nonsense!" and stood over him as if transfixed.

'Anything approaching the change that came over his features I have never seen before, and hope never to see again. Oh, I wasn't touched. I was fascinated. It was as though a veil had been rent. I saw on that ivory face the expression of sombre pride, of ruthless power, of craven terror – of an intense and hopeless despair. Did he live his life again in every detail of desire, temptation, and surrender during that supreme moment of complete knowledge? He cried in a whisper at some image, at some vision – he cried out twice, a cry that was no more than a breath –

'"The horror! The horror!"

'I blew the candle out and left the cabin. The pilgrims were dining in the mess-room, and I took my place opposite the manager, who lifted his eyes to give me a questioning glance, which I successfully ignored. He leaned back, serene, with that peculiar smile of his sealing the unexpressed depths of his meanness. A continuous shower of small flies streamed upon the lamp, upon the cloth, upon our hands and faces. Suddenly the manager's boy put his insolent black head in the doorway, and said in a tone of scathing contempt –

«Un soir que j'entrais avec une bougie, je sursautai en l'entendant dire d'une voix un peu chevrotante : "Je suis couché là, dans le noir, à attendre la mort." La lumière n'était pas à trente centimètres de ses yeux. Je me forçai à murmurer : "Oh! ne dites pas de bêtises!" et demeurai debout à côté de lui, comme cloué sur place.

«Jamais auparavant je n'avais vu quelque chose de comparable au changement qui envahit ses traits, et j'espère bien ne jamais rien revoir de pareil. Oh, je n'étais pas touché. J'étais fasciné. C'était comme si un voile s'était déchiré. Je vis sur ce visage d'ivoire se peindre l'orgueil sombre, le pouvoir implacable, la terreur abjecte – le désespoir intense et absolu. Revivait-il sa vie dans tous ses détails de désir, de tentation et d'abandon pendant cet instant suprême de connaissance totale? Il s'écria dans un murmure devant quelque image. quelque vision – il s'écria deux fois, en une exclamation qui n'était qu'un souffle :

«"L'horreur! L'horreur!"

«Je soufflai la bougie et quittai la cabine. Les pèlerins étaient en train de dîner dans le carré, et je pris ma place en face du directeur, qui leva les yeux pour m'adresser un regard interrogateur que je réussis à ne pas voir. Il se carra sur sa chaise, serein, scellant de ce sourire qui lui était particulier les profondeurs inexprimées de sa mesquinerie. Une pluie ininterrompue de petites mouches s'abattait sur la lampe, sur la nappe, sur nos mains et notre visage. Soudain, le boy du directeur passa dans l'embrasure de la porte sa bille noire et insolente, et dit d'un ton de mépris cinglant :

301

'"Mistah Kurtz – he dead."

'All the pilgrims rushed out to see. I remained, and went on with my dinner. I believe I was considered brutally callous. However, I did not eat much. There was a lamp in there – light, don't you know – and outside it was so beastly, beastly dark. I went no more near the remarkable man who had pronounced a judgement upon the adventures of his soul on this earth. The voice was gone. What else had been there? But I am of course aware that next day the pilgrims buried something in a muddy hole.

'And then they very nearly buried me.

'However, as you see, I did not go to join Kurtz there and then. I did not. I remained to dream the nightmare out to the end, and to show my loyalty to Kurtz once more. Destiny. My Destiny! Droll thing life is – that mysterious arrangement of merciless logic for a futile purpose. The most you can hope from it is some knowledge of yourself – that comes too late – a crop of unextinguishable regrets. I have wrestled with death. It is the most unexciting contest you can imagine. It takes place in an impalpable greyness, with nothing underfoot, with nothing around, without spectators, without clamour, without glory, without the great desire of victory, without the great fear of defeat, in a sickly atmosphere of tepid scepticism, without much belief in your own right, and still less in that of your adversary.

« "Missié Ku'tz – lui mo." »

« Les pèlerins se précipitèrent tous pour voir. Je restai, et continuai de dîner. Je suis persuadé qu'on me trouva un cœur de pierre. Cependant, je ne mangeai pas grand-chose. Il y avait dans la pièce une lampe – de la lumière, vous saisissez – et dehors il faisait si fichtrement, fichtrement noir. Je n'approchai plus l'homme remarquable qui avait énoncé un verdict sur les aventures de son âme ici-bas. La voix avait disparu. Qu'y avait-il eu d'autre ? Mais je n'ignore naturellement pas que, le lendemain, les pèlerins ensevelirent quelque chose dans un trou fangeux.

« Ensuite de quoi ils faillirent bien m'ensevelir aussi.

« Pourtant, comme vous le voyez, je n'allai pas rejoindre Kurtz sur-le-champ. Non. Je restai pour rêver le cauchemar jusqu'au bout, et pour manifester une fois encore ma fidélité à Kurtz. La destinée, Ma destinée ! C'est une chose cocasse que la vie – cette mystérieuse disposition d'une logique implacable dans un dessein futile. Le mieux que l'on puisse en espérer est une certaine connaissance de soi – qui vient trop tard – et une moisson de regrets inapaisables. Je me suis colleté avec la mort. C'est le combat le moins passionnant qu'on puisse imaginer. Il se déroule dans une grisaille impalpable, sans rien sous vos pas, sans rien autour, sans public, sans clameurs, sans gloire, sans ce grand désir de vaincre, sans cette grande peur d'être vaincu, dans une atmosphère débilitante de scepticisme tiède, sans grande foi dans votre bon droit, et moins encore dans celui de votre adversaire.

If such is the form of ultimate wisdom, then life is a greater riddle than some of us think it to be. I was within a hair's-breadth of the last opportunity for pronouncement, and I found with humiliation that probably I would have nothing to say. This is the reason why I affirm that Kurtz was a remarkable man. He had something to say. He said it. Since I had peeped over the edge myself, I understand better the meaning of his stare, that could not see the flame of the candle, but was wide enough to embrace the whole universe, piercing enough to penetrate all the hearts that beat in the darkness. He had summed up – he had judged. "The horror!" He was a remarkable man. After all, this was the expression of some sort of belief; it had candour, it had conviction, it had a vibrating note of revolt in its whisper, it had the appalling face of a glimpsed truth – the strange commingling of desire and hate. And it is not my own extremity I remember best – a vision of greyness without form filled with physical pain, and a careless contempt for the evanescence of all things – even of this pain itself. No! It is his extremity that I seem to have lived through. True, he had made that last stride, he had stepped over the edge, while I had been permitted to draw back my hesitating foot. And perhaps in this is the whole difference; perhaps all the wisdom, and all truth, and all sincerity, are just compressed into that inappreciable moment of time

Si telle est la forme de l'ultime sagesse, alors la vie est une plus profonde énigme que ne le croient certains d'entre nous. Je me trouvai à un cheveu de la dernière occasion de m'exprimer, et je fis la découverte humiliante que je n'aurais probablement rien à dire. C'est bien pourquoi j'affirme que Kurtz était un homme remarquable Il avait quelque chose à dire. Il le dit. Depuis que j'ai moi-même jeté un coup d'œil par-dessus le bord, je comprends mieux le sens de son regard fixe, qui ne percevait pas la flamme de la bougie, mais était assez large pour embrasser l'univers entier, assez perçant pour pénétrer tous les cœurs qui battent dans les ténèbres. Il avait résumé – il avait jugé. "L'horreur!" C'était un homme remarquable. Après tout, c'était là l'expression d'une espèce de foi; elle avait de la franchise, elle avait de la conviction, elle avait un ton vibrant de révolte dans son murmure, elle avait le visage épouvantable d'une vérité entr'aperçue – cette étrange mixture de désir et de haine. Et ce n'est pas ma propre extré-mité que je me rappelle le plus distinctement – vision de grisaille informe emplie de souffrance physique, mépris nonchalant du caractère évanes-cent de toutes choses – jusqu'à cette souffrance même. Non! C'est son extrémité à lui qu'il me semble avoir vécue. Il avait fait cette dernière enjambée, c'est entendu, il avait franchi le bord, alors qu'il m'avait été permis de retirer mon pied hésitant. Et c'est peut-être en cela que réside toute la différence : peut-être que toute la sagesse, et toute la vérité, et toute la sincérité, sont concen-trées dans ce laps de temps, impossible à mesurer,

in which we step over the threshold of the invisible. Perhaps! I like to think my summing-up would not have been a word of careless contempt. Better his cry – much better. It was an affirmation, a moral victory, paid for by innumerable defeats, by abominable terrors, by abominable satisfactions. But it was a victory! That is why I have remained loyal to Kurtz to the last, and even beyond, when a long time after I heard once more, not his own voice, but the echo of his magnificent eloquence thrown to me from a soul as translucently pure as a cliff of crystal.

'No, they did not bury me, though there is a period of time which I remember mistily, with a shuddering wonder, like a passage through some inconceivable world that had no hope in it and no desire. I found myself back in the sepulchral city resenting the sight of people hurrying through the streets to filch a little money from each other, to devour their infamous cookery, to gulp their unwholesome beer, to dream their insignificant and silly dreams. They trespassed upon my thoughts. They were intruders whose knowledge of life was to me an irritating pretence, because I felt so sure they could not possibly know the things I knew. Their bearing, which was simply the bearing of commonplace individuals going about their business in the assurance of perfect safety, was offensive to me like the outrageous flauntings of folly in the face of a danger it is unable to comprehend.

au cours duquel nous franchissons le seuil de l'invisible. Peut-être ! J'aime à penser que mon résumé n'aurait pas été un mot de mépris nonchalant. Plutôt son cri – cent fois. C'était une affirmation, une victoire morale acquise au prix d'innombrables défaites, d'abominables terreurs, d'abominables satisfactions. Mais c'était une victoire ! C'est pourquoi je suis resté fidèle à Kurtz jusqu'au bout et même au-delà, quand bien longtemps après j'entendis à nouveau, non point sa propre voix, mais l'écho de sa magnifique éloquence que me renvoyait une âme d'une pureté aussi transparente qu'une falaise de cristal.

« Non, on ne m'ensevelit pas, bien qu'il y ait une période que je me rappelle de façon brumeuse, avec un frémissement de stupeur, comme la traversée de quelque monde inconcevable, où il n'y avait ni espoir ni désir. Je me trouvai de retour dans la ville sépulcrale, exaspéré par la vue de gens qui se hâtaient par les rues pour se filouter un peu d'argent les uns aux autres, pour engloutir leur infâme cuisine, pour lamper leur bière délétère, pour rêver leurs songes insignifiants et stupides. Ils empiétaient sur mes réflexions. Ils étaient des intrus dont la connaissance de la vie était à mes yeux une irritante affectation, tant j'étais sûr qu'ils ne pouvaient absolument pas savoir ce que je savais. Leur allure, qui n'était que celle d'individus ordinaires vaquant à leurs occupations avec l'assurance d'une entière sécurité, m'était odieuse, comme les rodomontades outrées de la bêtise face à un danger qu'elle est incapable de saisir.

I had no particular desire to enlighten them, but I had some difficulty in restraining myself from laughing in their faces, so full of stupid importance. I daresay I was not very well at that time. I tottered about the streets – there were various affairs to settle – grinning bitterly at perfectly respectable persons. I admit my behaviour was inexcusable, but then my temperature was seldom normal in these days. My dear aunt's endeavours to "nurse up my strength" seemed altogether beside the mark. It was not my strength that wanted nursing, it was my imagination that wanted soothing. I kept the bundle of papers given me by Kurtz, not knowing exactly what to do with it. His mother had died lately, watched over, as I was told, by his Intended. A clean-shaved man, with an official manner and wearing gold-rimmed spectacles, called on me one day and made inquiries, at first circuitous, afterwards suavely pressing, about what he was pleased to denominate certain "documents." I was not surprised, because I had had two rows with the manager on the subject out there. I had refused to give up the smallest scrap out of that package, and I took the same attitude with the spectacled man. He became darkly menacing at last, and with much heat argued that the Company had the right to every bit of information about its "territories." And said he, "Mr Kurtz's knowledge of unexplored regions

Je n'avais aucun désir particulier d'éclairer leur lanterne, mais j'éprouvais quelque peine à m'empêcher de leur rire au nez, ce nez qui affichait un air d'importance idiote. Je crois qu'à cette époque je n'étais pas dans mon assiette. J'allais par les rues d'un pas mal assuré – il y avait diverses affaires à régler – en adressant un rictus amer à des personnes parfaitement respectables. Je reconnais que ma conduite était inexcusable, mais il faut dire que ma température était rarement normale en ce temps-là. Les efforts de ma chère tante pour "restaurer mes forces" semblaient entièrement à côté de la question. Ce n'étaient pas mes forces qui avaient besoin d'être restaurées, c'était mon imagination qui avait besoin d'être apaisée. Je gardai la liasse de papiers que m'avait donnée Kurtz sans savoir au juste qu'en faire. Sa mère était morte récemment, entourée, me dit-on, des soins de sa Fiancée. Un homme au visage glabre, à l'allure officielle, portant des lunettes cerclées d'or, me rendit un jour visite et s'informa, de manière d'abord détournée, puis mielleusement insistante, de ce qu'il se plaisait à baptiser certains "documents". Je ne fus pas pris au dépourvu, car, sur place, j'avais eu déjà deux prises de bec à ce sujet avec le directeur. J'avais refusé de céder le moindre petit bout de papier de ce paquet, et j'adoptai la même attitude avec l'homme aux lunettes. Il finit par passer à d'obscures menaces, et fit valoir avec beaucoup de véhémence que la Compagnie avait des droits sur tout élément d'information à propos de ses "territoires". Et, dit-il, "la connaissance qu'avait M. Kurtz des régions inexplorées

must have been necessarily extensive and peculiar – owing to his great abilities and to the deplorable circumstances in which he had been placed: therefore –" I assured him Mr Kurtz's knowledge, however extensive, did not bear upon the problems of commerce or administration. He invoked then the name of science. "It would be an incalculable loss if," etc., etc. I offered him the report on the "Suppression of Savage Customs", with the postscriptum torn off. He took it up eagerly, but ended by sniffing at it with an air of contempt. "This is not what we had a right to expect," he remarked. "Expect nothing else," I said. "There are only private letters." He withdrew upon some threat of legal proceedings, and I saw him no more; but another fellow, calling himself Kurtz's cousin, appeared two days later, and was anxious to hear all the details about his dear relative's last moments. Incidentally he gave me to understand that Kurtz had been essentially a great musician. "There was the making of an immense success," said the man, who was an organist, I believe, with lank grey hair flowing over a greasy coat-collar. I had no reason to doubt his statement; and to this day I am unable to say what was Kurtz's profession, whether he ever had any – which was the greatest of his talents. I had taken him for a painter who wrote for the papers, or else for a journalist who could paint – but even the cousin (who took snuff during the interview) could not tell me what he had been – exactly. He was a

n'avait pu qu'être approfondie et particulière – eu égard à ses grands talents et aux circonstances déplorables dans lesquelles il s'était trouvé : en conséquence…" Je l'assurai que la connaissance qu'avait M. Kurtz, si approfondie qu'elle pût être, ne portait pas sur les problèmes de commerce ou d'administration. Il invoqua ensuite le nom de la science. "Ce serait une perte incalculable si…", etc. Je lui offris le rapport sur l'"Abolition des mœurs sauvages", dont j'avais arraché le post-scriptum. Il s'en empara avidement, mais finit par renifler d'un air de mépris. "Ce n'est pas ce que nous étions en droit d'espérer, déclara-t-il. – N'espérez rien d'autre, dis-je. Il n'y a que des lettres personnelles." Sur quelque menace d'action en justice, il se retira, et je ne le revis plus ; mais un autre individu, se disant cousin de Kurtz, fit son apparition deux jours plus tard, et il brûlait d'apprendre tous les détails sur les derniers moments de son cher parent. Il me donna à entendre, soit dit en passant, que Kurtz était avant tout un grand musicien. "Il y avait là l'étoffe d'un immense succès", dit cet homme, qui était organiste, je crois bien, les cheveux plats et gris flottant sur le col graisseux de son manteau. Je n'avais aucune raison de douter de son assertion ; et, aujourd'hui encore, je suis incapable de dire quelle était la profession de Kurtz, s'il en eut jamais une – lequel était le plus grand de ses talents. Je l'avais pris pour un peintre qui écrivait dans les journaux, ou encore pour un journaliste qui savait peindre – mais même le cousin (qui prisait pendant notre entretien) ne put me dire ce qu'il avait été – précisément. C'était un

311

universal genius – on that point I agreed with the old chap, who thereupon blew his nose noisily into a large cotton handkerchief and withdrew in senile agitation, bearing off some family letters and memoranda without importance. Ultimately a journalist anxious to know something of the fate of his "dear colleague" turned up. This visitor informed me Kurtz's proper sphere ought to have been politics "on the popular side." He had furry straight eyebrows, bristly hair cropped short, an eye-glass on a broad ribbon, and, becoming expansive, confessed his opinion that Kurtz really couldn't write a bit – "but heavens! how that man could talk. He electrified large meetings. He had faith – don't you see? – he had the faith. He could get himself to believe anything – anything. He would have been a splendid leader of an extreme party." "What party?" I asked. "Any party," answered the other. "He was an – an – extremist." Did I not think so? I assented. Did I know, he asked, with a sudden flash of curiosity, "what it was that had induced him to go out there?" "Yes," said I, and forthwith handed him the famous Report for publication, if he thought fit. He glanced through it hurriedly, mumbling all the time, judged "it would do", and took himself off with this plunder.

'Thus I was left at last with a slim packet of letters and the girl's portrait. She struck me as beautiful – I mean she had a beautiful expression. I know

génie universel – là-dessus je tombai d'accord avec le vieux bonhomme, sur quoi il se moucha bruyamment dans un vaste mouchoir de coton et prit congé dans une agitation sénile, emportant quelques lettres de famille et notes dépourvues d'importance. Enfin un journaliste, impatient de savoir quelque chose du destin de son "cher confrère", se présenta. Ce visiteur m'apprit que la sphère d'activité propre de Kurtz aurait dû être la politique, "du côté populaire". Il avait le sourcil épais et tiré au cordeau, le cheveu hérissé coupé ras, un monocle fixé à un large ruban, et, devenant communicatif, me fit part de son opinion que Kurtz n'était vraiment pas fichu d'écrire, "mais grands dieux! comme cet homme savait parler! Il électrisait de vastes assemblées. Il avait la foi – vous saisissez – il avait la foi. Il pouvait arriver à se convaincre de n'importe quoi – n'importe quoi. Il aurait fait un superbe entraîneur d'hommes pour un parti extrême. – Quel parti? demandai-je. – N'importe quel parti, répondit l'autre. C'était un… un… extrémiste". N'étais-je pas de cet avis? J'acquiesçai. Est-ce que je savais, demanda-t-il dans un éclair soudain de curiosité, "ce qui l'avait poussé à partir là-bas? – Oui", dis-je, et je lui tendis sur-le-champ le fameux rapport afin de le publier, s'il le jugeait bon. Il le parcourut rapidement, sans cesser de marmonner, estima que "ça ferait l'affaire", et fila avec son butin.

« C'est ainsi que je me retrouvai finalement avec un mince paquet de lettres et le portrait de la jeune fille. Elle me frappa par sa beauté – je veux dire qu'elle avait une belle expression. Je sais

that the sunlight can be made to lie, too, yet one felt that no manipulation of light and pose could have conveyed the delicate shade of truthfulness upon those features. She seemed ready to listen without mental reservation, without suspicion, without a thought for herself. I concluded I would go and give her back her portrait and those letters myself. Curiosity? Yes; and also some other feelings perhaps. All that had been Kurtz's had passed out of my hands: his soul, his body, his station, his plans, his ivory, his career. There remained only his memory and his Intended – and I wanted to give that up, too, to the past, in a way – to surrender personally all that remained of him with me to that oblivion which is the last word of our common fate. I don't defend myself. I had no clear perception of what it was I really wanted. Perhaps it was an impulse of unconscious loyalty, or the fulfilment of one of these ironic necessities that lurk in the facts of human existence. I don't know. I can't tell. But I went.

'I thought his memory was like the other memories of the dead that accumulate in every man's life – a vague impress on the brain of shadows that had fallen on it in their swift and final passage; but before the high and ponderous door, between the tall houses of a street as still and decorous as a well-kept alley in a cemetery, I had a vision of him on the stretcher, opening his mouth voraciously, as if to devour all the earth with all its

qu'on peut faire mentir même le soleil, on sentait pourtant qu'aucune manipulation de l'éclairage et de la pose n'aurait pu faire passer sur ces traits la nuance délicate de sincérité. Elle paraissait prête à écouter sans garder pour elle d'arrière-pensée, sans méfiance, sans considération égoïste. Je décidai finalement d'aller moi-même lui rendre son portrait et ces lettres. De la curiosité ? Oui ; et peut-être aussi certain autre sentiment. Tout ce qui avait été à Kurtz avait échappé à mon emprise : son âme, son corps, son poste, ses projets, son ivoire, sa carrière. Il ne restait que son souvenir et sa Fiancée – et je voulais abandonner cela aussi au passé, d'une certaine façon – livrer de moi-même tout ce qui me restait de lui à cet oubli qui est le dernier mot de notre destin à tous. Je ne cherche pas à me justifier. Je n'avais pas d'idée bien claire de ce que je voulais vraiment. Peut-être était-ce un élan de fidélité inconsciente, ou l'accomplissement de l'une de ces nécessités paradoxales qui sont tapies dans les données de l'existence. Je ne sais pas. Je ne peux le dire. Mais j'y allai.

« Je croyais que son souvenir ressemblait aux autres souvenirs des morts qui s'accumulent dans la vie de chacun – une empreinte floue sur le cerveau des ombres qui y ont été projetées au cours de leur passage fugace et sans lendemain ; mais devant la grande porte massive, entre les hautes maisons d'une rue aussi silencieuse et digne qu'une allée de cimetière bien entretenue, je le revis sur sa civière, ouvrant une bouche vorace, comme pour dévorer toute la terre avec toute sa

mankind. He lived then before me; he lived as much as he had ever lived – a shadow insatiable of splendid appearances, of frightful realities; a shadow darker than the shadow of the night, and draped nobly in the folds of a gorgeous eloquence. The vision seemed to enter the house with me – the stretcher, the phantom-bearers, the wild crowd of obedient worshippers, the gloom of the forests, the glitter of the reach between the murky bends, the beat of the drum, regular and muffled like the beating of a heart – the heart of a conquering darkness. It was a moment of triumph for the wilderness, an invading and vengeful rush which, it seemed to me, I would have to keep back alone for the salvation of another soul. And the memory of what I had heard him say afar there, with the borned shapes stirring at my back, in the glow of fires, within the patient woods, those broken phrases came back to me, were heard again in their ominous and terrifying simplicity. I remembered his abject pleading, his abject threats, the colossal scale of his vile desires, the meanness, the torment, the tempestuous anguish of his soul. And later on I seemed to see his collected languid manner, when he said one day, "This lot of ivory now is really mine. The Company did not pay for it. I collected it myself at a very great personal risk. I am afraid they will try to claim it as theirs though.

population. À ce moment-là, il était devant moi, vivant; aussi vivant qu'il l'avait jamais été – ombre insatiable de splendides apparences, de réalités atroces; ombre plus ténébreuse que l'ombre de la nuit, et noblement drapée dans les plis d'une somptueuse éloquence. Il me parut que cette vision entrait avec moi dans la maison – la civière, les porteurs fantômes, la horde farouche des adorateurs dociles, l'obscurité de la forêt, l'éclat métallique de la partie droite du fleuve entre les méandres ténébreux, le battement du tam-tam, régulier et sourd comme un battement de cœur – le cœur de ténèbres victorieuses. Ce fut un moment de triomphe pour le monde sauvage, une ruée envahissante et vengeresse que j'aurais, me semblait-il, à contenir seul pour le salut d'une autre âme. Et le souvenir de ce que je lui avais entendu dire en ce pays lointain, avec les silhouettes cornues s'agitant dans mon dos, à la lueur des feux, au sein des bois patients, ces lambeaux de phrases me revenaient, se faisaient entendre à nouveau dans leur simplicité lourde de mauvais présages, terrifiante. Je me souvenais de son abject plaidoyer, de ses menaces abjectes, de l'échelle colossale de ses ignobles désirs, de la mesquinerie, du tourment, de la souffrance tempétueuse de son âme. Et, plus tard, je crus voir sa manière alanguie, pleine de sang-froid, lorsqu'il dit un jour : "Quant à ce tas d'ivoire, c'est vraiment à moi qu'il appartient. La Compagnie ne l'a pas payé. Je l'ai recueilli moi-même, en courant personnellement de très grands risques. Je crains cependant qu'ils ne tentent de le revendiquer comme leur.

H'm. It is a difficult case. What do you think I ought to do – resist? Eh? I want no more than justice."... He wanted no more than justice – no more than justice. I rang the bell before a mahogany door on the first floor, and while I waited he seemed to stare at me out of the glassy panel – stare with that wide and immense stare embracing, condemning, loathing all the universe. I seemed to hear the whispered cry, "The horror! The horror!"

'The dusk was falling. I had to wait in a lofty drawing-room with three long windows from floor to ceiling that were like three luminous and bedraped columns. The bent gilt legs and backs of the furniture shone in indistinct curves. The tall marble fireplace had a cold and monumental whiteness. A grand piano stood massively in a corner; with dark gleams on the flat surfaces like a sombre and polished sarcophagus. A high door opened – closed. I rose.

'She came forward, all in black, with a pale head, floating towards me in the dusk. She was in mourning. It was more than a year since his death, more than a year since the news came; she seemed as though she would remember and mourn for ever. She took both my hands in hers and murmured, "I had heard you were coming." I noticed she was not very young – I mean not girlish. She had a mature capacity for fidelity, for

Hum. C'est une affaire délicate. Que croyez-vous que je devrais faire? – résister? Hein? Je ne veux rien de plus que la justice." Il ne voulait rien de plus que la justice – rien de plus que la justice. Je sonnai devant une porte d'acajou au premier étage, et, tandis que j'attendais, je crus le voir me fixer de ce panneau lisse comme un miroir – me fixer de ce regard persistant, largement dilaté, immense, qui embrassait, condamnait, exécrait l'univers entier. Je crus entendre l'exclamation chuchotée : "L'horreur! L'horreur!"

«Le crépuscule tombait. Il me fallut attendre dans un salon imposant, où trois longues fenêtres allaient du sol au plafond, semblables à trois colonnes lumineuses enserrées dans des draperies. Les volutes dorées des pieds et des dossiers des meubles luisaient doucement en courbes indistinctes. La haute cheminée de marbre était d'une blancheur froide et monumentale. Un piano à queue se dressait, massif, dans un angle; avec d'obscurs reflets sur ses surfaces planes, tel un sarcophage sombre et soigneusement poli. Une haute porte s'ouvrit – se ferma. Je me levai.

«Elle s'avança, tout en noir, la tête pâle, glissant vers moi dans la pénombre. Elle était en deuil. Plus d'un an s'était écoulé depuis la mort de Kurtz, plus d'un an depuis qu'elle l'avait apprise; il semblait qu'elle dût garder à jamais son souvenir et son deuil. Elle prit mes deux mains dans les siennes, et murmura : "J'avais appris que vous alliez venir." Je remarquai qu'elle n'était pas très jeune – je veux dire que ce n'était plus une adolescente. Elle avait une aptitude à rester fidèle, à

319

belief, for suffering. The room seemed to have grown darker, as if all the sad light of the cloudy evening had taken refuge on her forehead. This fair hair, this pale visage, this pure brow, seemed surrounded by an ashy halo from which the dark eyes looked out at me. Their glance was guileless, profound, confident, and trustful. She carried her sorrowful head as though she were proud of that sorrow, as though she would say, I – I alone know how to mourn for him as he deserves. But while we were still shaking hands, such a look of awful desolation came upon her face that I perceived she was one of those creatures that are not the playthings of Time. For her he had died only yesterday. And, by Jove! the impression was so powerful that for me, too, he seemed to have died only yesterday – nay, this very minute, I saw her and him in the same instant of time – his death and her sorrow – I saw her sorrow in the very moment of his death. Do you understand? I saw them together – I heard them together. She had said, with a deep catch of the breath, "I have survived" while my strained ears seemed to hear distinctly, mingled with her tone of despairing regret, the summing-up whisper of his eternal condemnation. I asked myself what I was doing there, with a sensation of panic in my heart as though I had blundered into a place of cruel and absurd mysteries not fit for a human being to behold. She motioned me to a chair. We sat down.

croire, à souffrir, qui était d'un être parvenu à maturité. On eût dit que la pièce s'était assombrie, comme si toute la triste lumière de cette fin de journée couverte s'était réfugiée sur le haut de son visage. Cette chevelure blonde, cette face pâle, ce front pur paraissaient nimbés d'un halo blême d'où ses yeux sombres me regardaient. Leur expression était faite de simplicité, de profondeur, de confiance en soi et en autrui. Elle portait sa tête affligée comme si elle était fière de cette affliction, comme pour dire, moi – moi seule sais le pleurer comme il le mérite. Mais, tandis que nous en étions encore à nous serrer la main, un tel air de terrible désolation envahit son visage que je sentis qu'elle était de ces êtres qui ne sont pas les jouets du Temps. Pour elle, c'était hier qu'il était mort. Et, ma parole ! l'impression était si forte que, pour moi aussi, il semblait n'être mort que de la veille – que dis-je, à l'instant seulement. Je les vis, elle et lui, dans le même moment – sa mort à lui, son chagrin à elle –, je vis ce chagrin dans l'instant même de cette mort. Vous saisissez ? Je les vis ensemble – je les entendis ensemble. Elle avait dit, d'une voix haletante : "J'ai survécu", alors que mon oreille aux aguets avait l'impression d'avoir perçu distinctement, mêlé aux accents de regret désespéré de la jeune fille, le murmure par lequel il résumait sa condamnation éternelle. Je me demandai ce que je faisais là, avec au cœur un sentiment de panique, comme si j'avais pénétré par inadvertance en un lieu de mystères absurdes et cruels que nul mortel ne devait contempler. Elle me désigna un siège. Nous nous assîmes.

I laid the packet gently on the little table, and she put her hand over it... "You knew him well," she murmured, after a moment of mourning silence.

"'Intimacy grows quickly out there," I said. "I knew him as well as it is possible for one man to know another."

"'And you admired him," she said. "It was impossible to know him and not to admire him. Was it?"

"'He was a remarkable man," I said, unsteadily. Then before the appealing fixity of her gaze, that seemed to watch for more words on my lips, I went on. "It was impossible not to –"

"'Love him," she finished eagerly, silencing me into an appalled dumbness. "How true! how true! But when you think that no one knew him so well as I! I had all his noble confidence. I knew him best."

"'You knew him best," I repeated. And perhaps she did. But with every word spoken the room was growing darker, and only her forehead, smooth and white, remained illumined by the unextinguishable light of belief and love.

"'You were his friend," she went on. "His friend," she repeated, a little louder. "You must have been, if he had given you this, and sent you to me. I feel I can speak to you – and oh! I must speak. I want you – you who have heard his last words – to know I have been worthy of him... It is not pride... Yes! I am proud to know I

Je posai doucement le paquet sur la petite table, et elle le couvrit de sa main… "Vous l'avez bien connu, murmura-t-elle après un moment de silence funèbre.

« – Là-bas, l'intimité se développe très vite, dis-je. Je l'ai aussi bien connu qu'il est possible à un homme d'en connaître un autre.

« – Et vous l'avez admiré, dit-elle. Il était impossible de le connaître sans l'admirer. N'est-ce pas ?

« – C'était un homme remarquable", dis-je d'une voix mal assurée. Puis, devant la fixité suppliante de son regard, qui semblait guetter d'autres paroles sur mes lèvres, je poursuivis : "Il était impossible de ne pas…

« – L'aimer, acheva-t-elle ardemment, me réduisant à un mutisme épouvanté. Comme c'est vrai ! comme c'est vrai ! Mais quand on pense que personne ne l'a connu comme moi ! J'avais toute sa noble confiance. C'est moi qui l'ai connu le mieux.

« – C'est vous qui l'avez connu le mieux", répétai-je. Et peut-être était-ce vrai. Mais avec chaque parole prononcée la pièce devenait plus sombre, et seul son front, lisse et blanc, restait éclairé par la lumière inextinguible de la foi et de l'amour.

« "Vous étiez son ami, continua-t-elle. Son ami, répéta-t-elle un peu plus fort. Il faut que vous l'ayez été, pour qu'il vous ait donné ceci, et vous ait envoyé me voir. Je sens que je peux vous parler – et oh ! j'ai besoin de parler. Je veux que vous – vous qui avez entendu ses dernières paroles – sachiez que je me suis montrée digne de lui… Ce n'est pas de la fierté… Si ! je suis fière de savoir que je le

understood him better than anyone on earth – he told me so himself. And since his mother died I have had no one – no one – to – to –"

'I listened. The darkness deepened. I was not even sure whether he had given me the right bundle. I rather suspect he wanted me to take care of another batch of his papers which, after his death, I saw the manager examining under the lamp. And the girl talked, easing her pain in the certitude of my sympathy; she talked as thirsty men drink. I had heard that her engagement with Kurtz had been disapproved by her people. He wasn't rich enough or something. And indeed I don't know whether he had not been a pauper all his life. He had given me some reason to infer that it was his impatience of comparative poverty that drove him out there.

'"... Who was not his friend who had heard him speak once?" she was saying. "He drew men towards him by what was best in them." She looked at me with intensity. "It is the gift of the great," she went on, and the sound of her low voice seemed to have the accompaniment of all the other sounds, full of mystery, desolation, and sorrow, I had ever heard – the ripple of the river, the soughing of the trees swayed by the wind, the murmurs of the crowds, the faint ring of incomprehensible words cried from afar, the whisper of a voice speaking from beyond the threshold of an eternal darkness. "But you have heard him! You know!" she cried.

comprenais mieux que quiconque sur cette terre – lui-même me l'a dit. Et depuis que sa mère est morte, je n'ai eu personne – personne – à qui – à qui…"

«J'écoutais. Les ténèbres s'épaississaient. Je n'étais même pas sûr qu'il m'eût donné la bonne liasse. Je soupçonne à demi qu'il voulait me confier un autre lot de ses papiers que je vis, après sa mort, le directeur examiner sous la lampe. Et la jeune fille parlait, soulageant sa peine dans la certitude que je partageais ses sentiments; elle parlait comme boivent les assoiffés. J'avais entendu dire que sa famille n'avait pas approuvé ses fiançailles avec Kurtz. Il n'était pas assez riche, ou quelque chose comme ça. Et, en fait, je ne sais pas si, tout au long de sa vie, il n'avait pas été un indigent. Il m'avait donné quelque raison de penser que ce qui l'avait expédié là-bas, c'était de ne pas supporter sa relative pauvreté.

« "… Qui pouvait n'être pas son ami après l'avoir entendu parler une seule fois? disait-elle. Il attirait les gens à lui par ce qu'il y avait de meilleur en eux." Elle me regardait avec intensité. "C'est le don des grandes natures", poursuivit-elle, et le son de sa voix paraissait avoir pour accompagnement tous les autres sons emplis de mystère, de désolation et de chagrin que j'eusse jamais entendus – le clapotis du fleuve, le frémissement des arbres balancés par le vent, la rumeur des foules, la faible résonance des mots incompréhensibles criés à distance, le chuchotis d'une voix qui parlait d'au-delà du seuil des ténèbres éternelles. "Mais vous l'avez entendu! Vous savez! s'écria-t-elle.

'"Yes, I know," I said with something like despair in my heart, but bowing my head before the faith that was in her, before that great and saving illusion that shone with an unearthly glow in the darkness, in the triumphant darkness from which I could not have defended her – from which I could not even defend myself.

'"What a loss to me – to us!" – she corrected herself with beautiful generosity; then added in a murmur, "To the world." By the last gleams of twilight I could see the glitter of her eyes, full of tears – of tears that would not fall.

'"I have been very happy – very fortunate – very proud," she went on. "Too fortunate. Too happy for a little while. And now I am unhappy for – for life."

'She stood up; her fair hair seemed to catch all the remaining light in a glimmer of gold. I rose, too.

'"And of all this," she went on, mournfully, "of all his promise, and of all his greatness, of his generous mind, of his noble heart, nothing remains – nothing but a memory. You and I –"

'"We shall always remember him," I said, hastily.

'"No!" she cried. "It is impossible that all this should be lost – that such a life should be sacrificed to leave nothing – but sorrow. You know what vast plans he had. I knew of them, too – I could not perhaps understand – but others knew of them. Something must remain. His words, at least, have not died."

« – Oui, je sais", dis-je, avec quelque chose comme du désespoir au cœur, mais m'inclinant devant la foi qui était en elle, devant cette grande illusion rédemptrice qui brillait d'une lueur surnaturelle dans les ténèbres, dans les ténèbres triomphantes dont je n'aurais pu la défendre – dont je ne pouvais pas même me défendre.

« "Quelle perte pour moi – pour nous!" – elle se reprit avec une belle générosité; puis ajouta dans un murmure : "Pour le monde." Aux dernières lueurs du crépuscule, je voyais briller ses yeux emplis de larmes – de larmes qui refusaient de couler.

« "J'ai été très heureuse – très privilégiée – très fière, poursuivit-elle. Trop privilégiée. Trop heureuse pour peu de temps. Et maintenant je suis malheureuse pour… pour la vie."

« Elle se leva; ses cheveux blonds paraissaient rassembler tout ce qui restait de clarté en un reflet d'or. Je me levai à mon tour.

« "Et de tout cela, continua-t-elle tristement, de tout ce qu'il promettait, de toute sa grandeur, de son esprit généreux, de son noble cœur, rien ne demeure – rien qu'un souvenir. Vous et moi…

« – Nous nous souviendrons toujours de lui, m'empressai-je de dire.

« – Non! s'écria-t-elle. Il est impossible que tout ceci se perde – qu'une telle vie soit sacrifiée pour ne rien laisser – que du chagrin. Vous savez quels immenses projets étaient les siens. J'en avais également connaissance – je ne pouvais peut-être pas comprendre – mais d'autres les connaissaient. Il faut que quelque chose demeure. Ses paroles, au moins, ne sont pas mortes.

"'His words will remain," I said.

"'And his example," she whispered to herself. "Men looked up to him – his goodness shone in every act. His example –"

"'True," I said; "his example, too. Yes, his example. I forgot that."

"'But I do not. I cannot – I cannot believe – not yet. I cannot believe that I shall never see him again, that nobody will see him again, never, never, never."

'She put out her arms as if after a retreating figure, stretching them black and with clasped pale hands across the fading and narrow sheen of the window. Never see him! I saw him clearly enough then. I shall see this eloquent phantom as long as I live, and I shall see her, too, a tragic and familiar Shade, resembling in this gesture another one, tragic also, and bedecked with powerless charms, stretching bare brown arms over the glitter of the infernal stream, the stream of darkness. She said suddenly very low, "He died as he lived."

"'His end," said I, with dull anger stirring in me, "was in every way worthy of his life."

"'And I was not with him," she murmured. My anger subsided before a feeling of infinite pity.

"'Everything that could be done –" I mumbled.

"'Ah, but I believed in him more than anyone on earth – more than his own mother, more than – himself. He needed me! Me! I would have treasured every sigh, every word, every sign, every glance."

«– Ses paroles demeureront, dis-je.

«– Et son exemple, murmura-t-elle pour elle-même. Les gens le vénéraient – sa bonté éclatait dans chacun de ses actes. Son exemple…

«– C'est vrai, dis-je ; son exemple aussi. Oui, son exemple. Je l'oubliais.

«– Moi, non. Je ne peux pas… ne peux pas croire – pas encore. Je ne peux pas croire que jamais je ne le reverrai, que personne ne le reverra jamais, jamais, jamais."

«Elle tendit les bras comme en direction d'une silhouette qui s'éloignait, les allongeant, tout noirs, les mains pâles crispées, devant la clarté mourante et étroite de la fenêtre. Ne jamais le revoir ! Je le voyais alors fort distinctement. Je verrai ce fantôme éloquent aussi longtemps que je vivrai, et je la verrai, elle aussi, ombre tragique et familière, ressemblant dans cette attitude à une autre, non moins tragique, et couverte de vaines amulettes, tendant des bras bruns et nus au-dessus de l'éclat du fleuve infernal ; du fleuve de ténèbres. Elle dit soudain, très bas : "Il est mort comme il a vécu.

«– Sa fin, dis-je, intérieurement agité d'une sourde colère, fut en tout point digne de sa vie.

«– Et je n'étais pas avec lui", murmura-t-elle. Ma colère reflua devant un sentiment de pitié infinie.

«"Tout ce qui pouvait être fait…, marmonnai-je.

«– Ah, mais c'est que je croyais en lui plus que quiconque ici-bas – plus que sa propre mère, plus que… lui-même. Il avait besoin de moi ! De moi ! J'aurais pieusement recueilli chaque soupir, chaque mot, chaque signe, chaque regard."

'I felt like a chill grip on my chest. "Don't," I said, in a muffled voice.

'"Forgive me. I – I – have mourned so long in silence – in silence... You were with him – to the last? I think of his loneliness. Nobody near to understand him as I would have understood. Perhaps no one to hear..."

'"To the very end," I said, shakily. "I heard his very last words..." I stopped in a fright.

'"Repeat them," she murmured in a heart-broken tone. "I want – I want – something – something – to – to live with."

'I was on the point of crying at her, "Don't you hear them?" The dusk was repeating them in a persistent whisper all around us, in a whisper that seemed to swell menacingly like the first whisper of a rising wind. "The horror! The horror!"

'"His last word – to live with," she insisted. "Don't you understand I loved him – I loved him – I loved him!"

'I pulled myself together and spoke slowly.

'"The last word he pronounced was – your name."

'I heard a light sigh and then my heart stood still, stopped dead short by an exulting and terrible cry, by the cry of inconceivable triumph and of unspeakable pain. "I knew it – I was sure!"... She knew. She was sure. I heard her weeping; she had hidden her face in her hands.

«Je sentis comme un cercle de glace me serrer la poitrine. "Je vous en prie, fis-je d'une voix étouffée.

«– Pardonnez-moi. Je... je... l'ai pleuré si long-temps en silence – en silence... Vous étiez à ses côtés – jusqu'à la fin? Je pense à sa solitude. Personne auprès de lui pour le comprendre comme je l'aurais compris. Personne peut-être pour l'entendre...

«– Jusqu'à l'extrême fin, dis-je d'une voix mal assurée. J'ai entendu ses toutes dernières paroles..." Je m'interrompis, effrayé.

«"Répétez-les, murmura-t-elle d'une voix brisée. J'ai besoin de... j'ai besoin de... quelque chose... quelque chose avec... avec quoi vivre."

«J'étais sur le point de lui crier : "Vous ne les entendez donc pas?" L'obscurité les répétait en un souffle persistant tout autour de nous, en un souffle qui paraissait s'enfler, menaçant, comme le premier souffle d'un vent qui se lève. "L'horreur! L'horreur!"

«"Sa dernière parole – avec quoi vivre, insista-t-elle. Ne comprenez-vous pas que je l'aimais... que je l'aimais... je l'aimais!"

«Je me repris et parlai lentement :

«"La dernière parole qu'il a prononcée, ce fut... votre nom."

«J'entendis un léger soupir, puis mon cœur cessa de battre, arrêté net par un terrible cri de jubilation, par le cri de l'impensable triomphe et de l'indicible souffrance. "Je le savais – j'en étais sûre!" Elle savait. Elle en était sûre. Je l'entendis qui pleurait; elle s'était caché le visage dans les mains.

It seemed to me that the house would collapse before I could escape, that the heavens would fall upon my head. But nothing happened. The heavens do not fall for such a trifle. Would they have fallen, I wonder, if I had rendered Kurtz that justice which was his due? Hadn't he said he wanted only justice? But I couldn't. I could not tell her. It would have been too dark — too dark altogether...'

Marlow ceased, and sat apart, indistinct and silent, in the pose of a meditating Buddha. Nobody moved for a time. 'We have lost the first of the ebb,' said the Director, suddenly. I raised my head. The offing was barred by a black bank of clouds, and the tranquil waterway leading to the uttermost ends of the earth flowed sombre under an overcast sky — seemed to lead into the heart of an immense darkness.

Il me sembla que la maison s'écroulerait avant que je ne puisse m'échapper, que les cieux me tomberaient sur la tête. Mais rien ne se produisit. Les cieux ne tombent pas pour une telle vétille. Seraient-ils tombés, je me le demande, si j'avais rendu à Kurtz la justice qui lui était due? N'avait-il pas dit qu'il ne demandait que la justice? Mais je n'ai pas pu. Je n'ai pas pu le dire à la jeune fille. Ç'aurait été trop de noirceur – trop de complète noirceur…»

Marlow se tut et resta assis à l'écart, indistinct et silencieux, dans la pose d'un Bouddha en méditation. Pendant un certain temps, personne ne bougea. «Nous avons manqué le début du jusant», dit soudain l'Administrateur de sociétés. Je levai la tête. Le large était barré par un banc de nuages noirs, et la tranquille voie d'eau menant jusqu'aux extrêmes confins de la terre coulait, sombre, sous un ciel entièrement couvert – paraissait mener jusqu'au cœur d'immenses ténèbres.

Composition Infoprint.
Impression Bussière Camedan Imprimeries
à Saint-Amand (Cher), le 10 avril 2001.
Dépôt légal : avril 2001.
1er dépôt légal dans la collection : septembre 1996.
Numéro d'imprimeur : 011892/1.

ISBN 2-07-040004-2./Imprimé en France.

2679